# 授業で使える
# 「生命<sub>いのち</sub>の安全教育」
# 事例集
## 中学・高校編
人権とからだの権利・自己決定と
同意・性の多様性を学ぶきっかけに

水野哲夫

子どもの未来社

## ●はじめに●

　「生命（いのち）の安全教育」がすべての公立学校で実施されようとしています。この教育プログラムは何を目指すのか。文科省の説明（『生命（いのち）の安全教育　指導の手引き』2021.4.16）をまとめると、次のようなことを目指す教育であることがわかります。

○自分と他者の「からだ」を大切にする
○「性暴力」とは何かを明らかにする
○「性暴力」がまちがった行為であることを理解する
○「性暴力」にどんなことが影響しているのかを明らかにする
○「プライバシー」や「合意」について考える
○被害に遭ったとき、サポートや支援を求めることができる

　このことからわかるように、「生命（いのち）の安全教育」とは「性暴力にかかわる安全（確保）教育」なのです。

　性暴力と安全確保をテーマにした学習は、日本の学校ではごく一部の実践者が行ってはいたものの、広く実施されてはいませんでした。2017年、110年ぶりに刑法性犯罪規定が改正されましたが、さらによりよい法改正と性暴力の根絶を求める当事者・支援団体をはじめとした人びとのロビー活動や、2019年からの「フラワーデモ」（花を身につけて性暴力に抗議するデモ）などの取り組み、そして広範な世論が政治と行政を動かし、省庁横断の「性犯罪・性暴力対策強化の方針」を作らせました。

　政府が被害者の声を聞きつつ、性暴力や性犯罪対策に各省庁横断で一丸となって取り組むこと自体が初めてと言ってよいことです。「生命（いのち）の安全教育」はその「強化の方針」の一環としてスタートしたのです。

　文科省は、「幼児期」「小学校低中学年」「小学校高学年」「中学校」「高校」「高校卒業直前、大学」「特別支援教育」という7つのジャンルに向けた指導のマニュアル（『生命の安全教育　指導の手引き』）と、「教材（スライドとPDFファイル、アニメーション）」と補足資料（事例集）を発表し、活用を呼びかけました。

　私は、「生命（いのち）の安全教育」推進事業実践校として先行実践された方々の経験や、教育委員会の報告などに触れ、このプログラムをよりよいものにしていくためのいくつかの提案を考えてきました。提案の全体は、『季刊セクシュアリティ』105号（2022年4月発行　エイデル研究所）の拙稿「『生命（いのち）

の安全教育』をのりこえる—『性と人権』・『暴力と安全の確保』に関する確か
な教育プログラムを—」に書きました。

　この教育プログラムが本来の「性暴力にかかわる安全確保」という目的を十
全に達成するために、現在の学習内容をどのように改善していったらいいのか。
105号の論考では次の三つの改善を要する点について述べました。

①「性教育なき性の安全教育」である点
②「からだの権利」「自己決定」という発想ではなく「おとなの決めたルールを
　守ること」を求めている点
③児童・生徒がリアリティを感じない点

　関心のある方は『季刊セクシュアリティ』105号もご覧いただければと思い
ます。
　その時の提案で具体化できなかったのが、「教材」、特に「事例集」でした。
文科省事例集の不足を補い、新たなジャンルを追加し、資料的な裏付けもした
事例集を作れたら、と考えていましたが、このたび出版の機会を得ました。
　「生命（いのち）の安全教育」が、生徒たちとともに人間の性について、性と
人権について、からだの権利について、考え深める機会になることを願って本
書を作りました。ぜひ、中学校・高校はもちろん学習会等でもご活用ください。
　「生命（いのち）の安全教育—せっかくやるならいいものに」を合言葉に。

---

### 【この本の使い方】

● この事例集は、いくつかのテーマごとに、【事例、学習プリント、考え合うポイ
ント、発展的な学習のヒント、資料・データほか】という順に編集されています。

● 「事例」と「学習プリント」は、見開きにしてあります。時間数に合わせて事
例を選択し、営利目的でない限り、コピーしたり印刷したりしてそのまま授業
や学習で使っていただくことができます。
　＊本書はコピーが取りやすいようにB4サイズより多少幅広になっています。
　　97％程度でコピーするときれいに収まりますので調整してください。

● 「考え合うポイント」と「資料・データ」は、授業を進めていく際に参考にし
ていただければ幸いです。これらもヒントにしつつ、自由に、創造的に進めて
ください。

# 目 次

# 事例集

Ａさん（女子）とＢさん（男子）は同級生で、つきあって数か月です。

　同級生の女子Ａさんと交際中の男子Ｂさん。Ｂさんは Ａ さんから、スマホの中のＡさん以外の女子の連絡先を消すように言われました。

　また、デートの時はいつもＡさんが指定する服を着てくるよう言われました。

　Ｂさんは疑問も感じましたが、「それだけＡさんは自分のことが好きなんだ。好きだからしょうがないのかな。恋愛はつらいよ」と、納得して従うようにしています。

**❶** Ａさんのような要求は好きな相手だったら当然のものなのでしょうか。

**❷** 恋愛<sub>れんあい</sub>は必ず束縛<sub>そくばく</sub>を生むのでしょうか。

**❸** ＢさんはＡさんにどう対応するとよかったのでしょうか。

（名前　　　　　　　　　　　　　　　）

# デートDV ①　考え合うポイント

## ● 恋愛は定義できるか？

　恋愛の定義は人によって違い、無数の恋愛論が存在します。その中には「相手を束縛するのも恋愛」という考え方もあるでしょう。当事者がお互い納得しあっている束縛もあるでしょう。束縛したりされたりすることを心地よく感じたりするケースもあるでしょう。

## ● 束縛も恋愛か？　「束縛する・される」は何を生み出すか？

　考え合うポイントは、束縛する、束縛されるという関係は当事者に何を生み出すのかということです。考えられるのは、誰に対してもそれを求めることになってしまったり、束縛のない恋愛を想像できなくなってしまったりすることです。これは、人間関係の可能性を狭めることにつながるのではないでしょうか。

## 発展的学習のヒント

● 「他の場合にはまともな判断ができるのに、恋愛となるとわからなくなってしまう」というケースが多数存在します。このような「恋愛による勘違い」について考えることは、DV学習にとどまらない広がりを持ちます。まず、生徒に右頁のアンケートに答えてもらう形で、自分たちの認識を見つめなおす例を示します。

● どのように回答するかは自由です。ただし、11番の記述は事実ではありません。「選んでもいない」性行為を強要される性暴力が実際にあるからです。このアンケート結果で「○」が多い人ほど「勘違い」度合いが高いと考えられます。

● 右表はある高校1年生2クラスの「アンケート・恋愛による勘違い」の調査集計結果です。ジェンダーによる差が大きいところは太字にしてあります。アンケートが新たな学習の材料となることもあります。

| | 女子○ | 男子○ | 女子△ | 男子△ | 女子× | 男子× |
|---|---|---|---|---|---|---|
| 1 | 34.8% | 23.5% | **30.4%** | **50.0%** | 34.8% | 26.5% |
| 2 | **4.5%** | **2.4%** | 31.8% | 14.6% | 63.6% | 82.9% |
| 3 | **11.8%** | **31.0%** | 47.1% | 26.2% | 41.2% | 42.9% |
| 4 | 2.8% | 2.4% | **41.7%** | **9.5%** | 55.6% | 88.1% |
| 5 | **0.0%** | **4.9%** | 20.0% | 29.3% | 80.0% | 65.9% |
| 6 | 16.0% | 19.0% | 44.0% | 40.5% | 40.0% | 40.5% |
| 7 | **40.9%** | **22.0%** | 40.9% | 43.9% | **18.2%** | **34.1%** |
| 8 | **24.0%** | **11.9%** | 40.0% | 45.2% | 36.0% | 42.9% |
| 9 | 0.0% | 0.0% | **9.5%** | **21.4%** | 90.5% | 78.6% |
| 10 | 0.0% | 4.9% | 21.7% | 17.1% | 78.3% | 78.0% |
| 11 | **13.6%** | **24.4%** | 27.3% | 22.0% | 59.1% | 53.7% |
| 12 | 31.8% | 17.1% | 45.5% | 34.1% | **22.7%** | **48.8%** |

## アンケート・恋愛による勘違い

次の 1 から 12 についてあなたはどう思いますか。
共感する〇　まあ共感する△　否定する×　で答えてみてください。

| | 〇「そう思う」　△まあそうかな　×そうは思わない | 〇△× |
|---|---|---|
| 1 | 深く愛し合っていれば、お互いの気持ちがわかるはずだ。 | |
| 2 | つき合っているのだから、いつもメールや電話でお互いの行動を把握するべきだ。 | |
| 3 | 恋人同士の約束事は何より優先するものだ。 | |
| 4 | つき合っているなら、相手の携帯電話を勝手に見たりデータを消したりしてもかまわない。 | |
| 5 | 暴力をふるわれるのは、ふるわれる方に原因がある。 | |
| 6 | 愛されるためには、相手の期待にこたえなくてはならない。 | |
| 7 | AがBに対して、自分以外の異性と話すのを禁止しているのは、それだけBのことを愛しているからだ。 | |
| 8 | AがBの髪型や服装に注文をつけるのは、それだけBを愛しているからだ。 | |
| 9 | 多少相手がいやがっていても、つき合っているのだし、愛していれば、セックスしてもいい。 | |
| 10 | セックスする関係なら、相手はもう自分のものだ。 | |
| 11 | 自分が望んでもいないのにセックスする人なんていない。 | |
| 12 | Aからの別れ話にBが「別れるなら死んでやる」と言い出すのは、それくらいAを愛しているからだ。 | |

## デートDV ②

**DVを受けている友だちのCさんから、相談を受けました。**

友だちのCさんから、「つきあっている相手からDVを受けているかも」と相談を受けました。

話を聞いてみると、束縛（そくばく）を受けていて、暴言を吐（は）かれることはしょっちゅう、時には暴力もふるわれているといいます。どう考えてもDVです。

これはもう別れるしかないと考えて、Cさんに、「もう別れなきゃダメだと思うよ。別れなよ」と説得しました。

Cさんは「そうだよねえ」という返事でした。

## デートDV ② 学習プリント

**❶** Cさんは、「別れたら」 というアドバイスをどう受け止めるでしょうか。
アドバイスは実行されるでしょうか、されないでしょうか。

**❷** 実行されないとしたら、どんなことが原因になるでしょうか。

**❸** 実行しないCさんに対して、相談にのった側にはどんな気持ちが
うまれてくるでしょうか。

(名前 _____)

# デート DV ② 考え合うポイント

## ● 「別れればいい」というアドバイスは有効か？

DV 被害者の多くは人に相談していません。したとしても、友人に相談するのが精いっぱいで、「おとな」には実態がわかりません。

相談された友人たちは事情を聞いて別れるようアドバイスすることが多いのですが、実際にはなかなか別れられません。背景には、加害者と共依存関係になっている、別れを切り出せばもっと暴力がひどくなると恐れている、自分は何をしてもムダという「学習性の無力感」を抱いている、などのいろいろな事情があります。

すると、相談されてアドバイスをした友人たちは、「別れろって言ったのに別れない」と、かえって被害者を責めることがあります。DV の理由や背景などについて理解を深めることで、このような悪循環を少なくすることが可能ではないでしょうか。

## ● 解決のために最も大事なこととは何か？

最も大事なことは、本人が自分の現状を DV であると認識し、それによってたくさんのものが奪われていることを自覚するということです。

## ● 若者どうしでは解決が難しい場合はどうするか？

若者どうしでは解決が難しいことは十分あり得ます。信頼できるおとなに相談できるようにすることはとても大切です。

---

## 発展的学習のヒント

### DV とデート DV について

DV ＝ドメスティックバイオレンス。親密な関係で振るわれる暴力。日本では主に夫婦などの間での暴力を意味します。

デート DV ＝恋愛・交際関係のカップル（たいていは同居していない）でのドメスティックバイオレンス。2003 年ごろから使われはじめた日本製の言葉です。

次のように、DV やデート DV を「身体的、精神的、経済的、社会的、性的暴力」と「種類分け」することも可能です。

### ● 身体的暴力

殴る／蹴る／物を投げつける／刃物などを突き付ける／髪を引っ張る／唾をはく／噛む／突き飛ばす／平手で顔をたたく／熱湯やタバコなどでやけどさせる、など

### ● 心理的（精神的）暴力

人格を否定するような暴言を吐く／大声でどなる、ののしる／何を言っても無視する／服装を細

かくチェックする／別れたら自殺するといっておどす／秘密をばらすと言っておどす／子どもやペットに危害を加えると言っておどす、など

● 経済的暴力

生活費を渡さない／いつもおごらせる／お金を返さない／プレゼントをむりやり買わせる／むりやりバイトさせる、など

● 性的暴力

いやなのに身体をさわってくる／むりやりセックス・キスなどの性的な行為をする／避妊しない／見たくないのにアダルトビデオ（AV）や雑誌を見せる・まねさせる／性的な身体の部分についてひどいことを言う／性行為をさせないと不機嫌になる、など

● 社会的暴力（「デジタル暴力」と呼ぶこともある）

友人関係を制限して孤立させる／行動を監視させる／しょっちゅうメールや SNS や電話をして行動を監視する／相手のスマホをチェックする／スマホを勝手にチェックしたりアドレスなどを消す／相手に許可なく情報や写真を SNS などに拡散する／すぐに返事をしないと怒る・不機嫌になる、など

＊ただし、これらが同時に複数起きる場合もあるし、「そこまではいかないけど近い」（グレーゾーンである）場合もあります。

＊統計上は女性の被害者が多いのですが、年齢や集団によってはそうとも限りません。男性から女性だけではなく、女性から男性、同性カップル間の暴力もあります。男女を含むすべてのジェンダーの人の問題としてとらえる必要があります。

## 資料・データ

【「暴言や暴力…被害者は男子生徒、女子の倍以上／デート DV を受けた経験／大阪府の中高生 1000 人調査 」】（毎日新聞　2016 年 2 月 7 日）

　「大阪府の高校生グループが府内の約 1000 人の中高生に「デート DV」に関する調査をしたところ、男子生徒の 3 割以上が「（彼女から）暴言や暴力を受けて傷ついた」経験があることがわかった。女子生徒が「（彼から）暴力を受けた」割合は 12％で、男子の半分以下。交際相手に「暴言が嫌と言えない」割合も、男子（30％）が女子（22％）を上回った。

　調査は昨年（2015 年）9 ～ 11 月に書面で実施。府内の 105 人の中学生（男子 55 人、女子 50 人）、886 人の高校生（男子 300 人、女子 586 人）が回答した。 男女ともに傷つけられた経験は暴言が最多。男子は暴力（31％）、無料通信アプリ「LINE（ライン）」のチェック（17％）、女子は性行為の強要（16％）、ラインのチェック（16％）が続いた。

　一方、暴力を嫌だと言えない男子は 24％、女子は 17％。「下着姿や裸の画像を求められると断れない」という高校生は男子が 23％、女子が 17％だった。男子の場合、女子に「『死ね』『デブ』と暴言を吐かれるが、好きなので別れられない」や「たたかれて嫌だが男として我慢せざるを得ない」との答えがあった。女子は「ラインにある男友達の連絡先をすべて削除するように強要されて困る」などと悩んでいた。（…）」

**DさんがSNSを通してできた友人は、思っ
ていた人とは別人でした。**

　Dさん（女性）は、SNSを通じてできた同性の
友人に、いろいろ悩みを打ち明けたり、相談に乗っ
てもらったりしていました。

　「今度直接会おう」という話になり、待ち合わせ
をしました。そこへやってきたのは、同性の人では
なく、かなり年齢が上の男性でした。

　話が違うと思って帰ろうとしたら、「きみのいろ
んな個人情報を知ってるよ。先生や親に言われて困
ることもあるよね」とおどされて、１日付き合うこ
とになってしまいました。

　この日はいっしょに食事をしただけで終わりまし
たが、これから先どうなるのか、とても心配です。

❶ Dさんがこのような事態に陥らないためにはどうするべきだったのでしょうか。

❷ Dさんの大きな失敗はどういうことだったのでしょうか。

❸ Dさんはこれからのことをとても心配しています。どんな対策をするのがいいでしょうか。

(名前　　　　　　　　　　　　　　　)

# SNSにおける被害①　考え合うポイント

● **SNSでの人間関係と直接出会う人間関係はどう違うのか？**

　SNSでの人間関係は仮想で、直接出会う人間関係こそがリアルであるという認識は果たして現実と合致しているでしょうか。

● **SNSでの人間関係に「リアル」さはないのか？**

　SNSでの人間関係も「リアル」なものであると捉えることが必要になっているのではないでしょうか。

● **SNSでの人間関係はどうあるべきか？**

　その認識の上に立って、SNSでの人間関係のあり方について考えることが大切だと思います。

## 発展的学習のヒント

次の3つのグラフを見て、考えられることはなんでしょう。

①

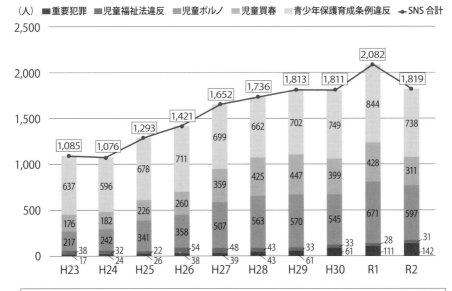

**【SNS】罪種別の被害児童数の推移**

> 令和2年のSNSに起因する事犯の被害児童数は、1,819人であり、前年からは12.6%減少したものの、平成25年以降増加傾向にあり、平成28年からの過去5年で4.8%増加。

（警察庁Webサイト「児童買春事犯等」より）

②

# SNS での児童・生徒の被害（罪種別）

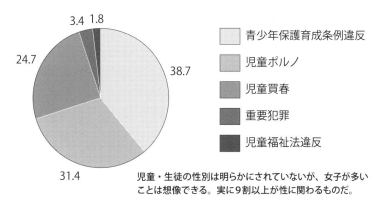

凡例：
- 青少年保護育成条例違反
- 児童ポルノ
- 児童買春
- 重要犯罪
- 児童福祉法違反

数値：38.7、31.4、24.7、3.4、1.8

児童・生徒の性別は明らかにされていないが、女子が多いことは想像できる。実に9割以上が性に関わるものだ。

「コミュニティサイト等に起因する事犯の現状と対策」（警察庁 2017 年）より

③

# 前のグラフの犯罪被害者が加害者と会った理由

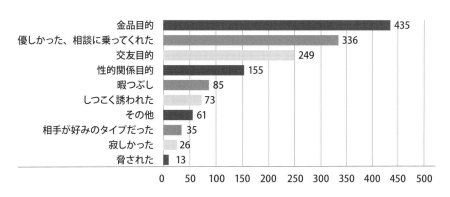

| 理由 | 件数 |
| --- | --- |
| 金品目的 | 435 |
| 優しかった、相談に乗ってくれた | 336 |
| 交友目的 | 249 |
| 性的関係目的 | 155 |
| 暇つぶし | 85 |
| しつこく誘われた | 73 |
| その他 | 61 |
| 相手が好みのタイプだった | 35 |
| 寂しかった | 26 |
| 脅された | 13 |

「コミュニティサイト等に起因する事犯の現状と対策」（警察庁 2017 年）より

　②「SNS での児童・生徒の被害（罪種別）」のグラフ（何の法律に違反しているかによる分類）を見ると、90％以上が性にかかわるものであることがわかります。

　一方、③「被害者が加害者と会った理由」のグラフを見ると、第1位が「金品目的」で、29.6％です。この数字は、②のグラフの「児童買春」（24.7％）に近い数字と言えます。

## SNSにおける被害②

**EさんはSNSに個人情報がわかる投稿をしてしまいました。**

　Eさんは SNS によく投稿をしています。写真も投稿します。

　ある時、自分の通っている学校、使っている駅、通学路、自分の家の住所がわかるような写真を投稿してしまいました。

　少しすると、学校の前や自宅の前で見知らぬ人が立っていたり、うろうろしたりしていることが増えました。Eさんは、外に出るのもこわくなり、学校にも行けなくなってしまいました。

❶ 個人情報はどのように特定されてしまうでしょうか。特定のされ方について話し合いましょう。

❷ 一度投稿したものは永久にそのままなのでしょうか。

❸ 困ったときどこに相談すればいいのでしょうか。

（名前 _____ ）

# SNS における被害② 考え合うポイント

● **個人情報特定の実態は？**

　個人情報がどのように特定されていくのか、その実態を知ることは大切です。

● **一度投稿した個人情報の削除は可能か？**

　一度投稿した個人情報をできる限り削除する方法を知る必要があります。

● **困ったときどこに相談すればよいか？**

　このような悩みを相談できるところはどこなのか、情報を更新していく必要があります。

## 発展的学習のヒント

● 以下の記事を読んで必要な事実を提示しましょう。
◆「インターネットの誹謗中傷を削除したい！　削除依頼はどこにすればいい？」
　弁護士法人あまた弁護士事務所
　https://amata-lawoffice.com/deletion-request/removed-slander-on-the-internet/

　ネット上の誹謗中傷や名誉棄損の書き込みを削除してほしい場合、次のような方法があります。

①サイト運営者への削除要求
②検索サイトへの削除要求

　①は最も一般的なやりかたです。管理者の連絡先に問い合わせるか、サイトによっては削除用の連絡フォームが設けられています。費用もかからず、数日以内に対応してくれるサイトもあります。しかし、確実性も低く、削除されない場合も多いと思っておきましょう。
　②は、誹謗中傷や名誉棄損に関しては各サイトの報告用フォームを利用して、特定のアカウントから誹謗中傷や名誉棄損を受けているということを伝え、削除依頼をします。削除請求を行えるのは本人か、本人から依頼を受けた弁護士だけであることを知っておきましょう。有料で削除依頼を代行するという悪質な代行業者も存在します。代行は弁護士など法律の専門家に依頼することをおすすめします。

## ネット上での匿名の誹謗中傷への対応策

● 質問　インターネット上での誹謗中傷などの匿名の書き込みについて、一般にはどのような対応ができるのでしょうか。

### 1　任意に削除を求める方法

削除を請求する相手としては、まず書き込みがされたサイトの管理者、その管理者や書き込みをした人物が契約しているプロバイダ、そして書き込みをした人物などが考えられます。

任意に削除を求める方法として、もっとも簡便なものとしては、書き込みがされたサイトの管理者が利用者に提供しているガイドラインや、削除依頼用のフォームに従って申請をする方法です。

ツイッターやインスタグラム、Facebookなどの一般に広く使われているソーシャルネットワークサービスでは、それぞれに違法な投稿や問題のある投稿がされた場合の対応に関するガイドラインが公表されていますので、ぜひ一度確認をしてみてください。

また、任意の削除請求の方法として、一般社団法人テレコムサービス協会の「プロバイダ責任制限法　名誉毀損・プライバシー関係ガイドライン」に基づく、「送信防止措置依頼書」の書式を利用して削除依頼することもできます（http://www.isplaw.jp/）。サイト管理者やサーバー管理者がこの書類を受け取ると、情報発信者に対して情報の削除の可否について照会し、7日以内に反論がなければ当該情報が削除されます。

もっとも、サイト管理者やサーバー管理者はこの照会を行う義務があるわけではありませんし、表現の自由に配慮してか削除に応じないことも多いようです。

さらにブログなどの場合には、書き込みをした人物が氏名を公表していなくても、直接メールなどを通じて削除を求めるやり取りをすることもできます。ただし、この方法はますます炎上させてしまう危険性もあります。

### 2　裁判を通じて強制的に削除を求める方法

任意の方法では、サイト管理者が削除要請に応じてくれない、または「裁判所の判断に従います」などの回答を受けてしまった場合には、司法による手続きを検討しなければなりません。

具体的には、問題の情報が掲載されているサイトの運営者等を相手方として、削除請求仮処分や削除訴訟といった司法手続きを利用することになります。実務上は削除請求仮処分の申立を行う方が、訴訟に比べて解決までの時間が短くて済むので、この方法が利用されることが多いようです。ただし、仮処分を利用するには一時的に数十万円の担保金を用意する必要があり、まったく経済的な後ろ盾がない場合には選択しにくい方法です。

佐藤香代、三坂彰彦、佐藤克彦編『弁護士と精神科医が答える　学校トラブル解決Q&A』（子どもの未来社）より抜粋

## スクールセクハラ①

Ｆさんは運動部のコーチから、からだをさわ
られていやな思いをしています。

Ｆさんは運動部に所属しています。コーチは、
「マッサージをするから」とか、「フォームの矯正を
するから」という理由で、たびたびＦさんのからだ
にさわります。

　Ｆさんは、からだにさわられるのはとてもいやな
のですが、指導してくれているコーチに失礼かもし
れないと考え、「いやです」と言い出せません。

## スクールセクハラ① 学習プリント

❶ コーチのしていることをどう考えるべきでしょうか。

❷ Ｆさんはコーチの行為をがまんする必要があるでしょうか。

❸ コーチにこういうことをやめさせるためにはどうすることが必要でしょうか。

(名前　　　　　　　　　　　　　　　　)

# スクールセクハラ例① 考え合うポイント

## ● 理由が大切か？

　どんな理由なのかではなく、何をされているかが問題です。本人がからだにさわられるのを「いやだ」と感じているこのケースは、セクシュアル・ハラスメントだと言えるのではないでしょうか。

## ● コーチのすることだからがまんする？

　Fさんががまんし続ける理由について考え合いましょう。

## ● いやだと思ったらどうするか？

　コーチにこのような行為をこれ以上させないためにはどんな方法があるのか、具体的なアドバイスを考え合いましょう。

## 発展的学習のヒント

●「セクシュアル・ハラスメントとは、組織内の権力関係を背景にした性関係の強制である」という指摘があります（江原由美子・山田昌弘『ジェンダーの社会学　入門』岩波書店）。「権力関係」とは、「不均衡な力関係」のことです。これは、セクシュアル・ハラスメントが対等平等な関係における「ジョーク」などではなく、意思に反する性的言動に対して、抗議することも反撃することもできないような不均衡な人間関係を背景にした性関係の強制＝性暴力として捉えるべきである、という極めて重要な指摘です。

● 児童や生徒の通う学校におけるセクシュアル・ハラスメントを「スクールセクハラ」と呼ぶことがあります。学校にはさまざまな「力の不均衡」が存在します。「スクールセクハラ」は教職員から児童生徒への加害行為にとどまらず、学校にかかわるあらゆる人びと（教職員、保護者、業者、ボランティア、指導員、コーチなど多種）と児童生徒との間においておこるセクシュアル・ハラスメントであるという認識をもつ必要があります。

● 残念ながら、日本のスポーツ指導の分野には、「指導者絶対」的な意識が広く存在しています。そこには「権力関係」（不均衡な力関係）が生まれます。その結果、力関係を背景としたセクシュアル・ハラスメントが発生する頻度は高くなります。

● セクハラが、「グルーミング」という形をとって行われることを知っておく必要があります。グルーミングとは、もともと動物の毛づくろいのことなのですが、転じて

性暴力加害者が対象となる人間（主に未成年者）を手なづけることを意味します。相手の信頼を得ることを目的としているので、性暴力につながる行為だと見抜けないこともあります。

コラム

## 「からだの権利」とは？

　「からだの権利」は耳慣れない言葉かもしれません。たしかに一般的に使われてきた言葉とは言えません。この言葉が広く注目されたのは、ユネスコなどが作成した「国際セクシュアリティ教育ガイダンス」（以下『ガイダンス』）に登場したことがきっかけでした。

　『ガイダンス』には、5〜8歳の子どもの学習内容として「『からだの権利』の意味について説明する」「誰もが『からだの権利』をもつことを意識する」と書かれています（「キーコンセプト4　暴力と安全確保」の項）。

　しかし、ここには「からだの権利」の具体的な内容説明はありません。浅井春夫さんと艮香織さんによる『からだの権利教育入門』には、「『からだの権利』とは何ですか」という問いに対して、次のような回答があります。

---

（「からだの権利」の）**具体的な内容については、次の6つの柱で成り立つと考えられます。**

1　からだのそれぞれの器官・パーツの名前や機能について十分に学ぶことができる。
2　誰もが自分のからだのどこを、どのようにふれるかを決めることができる。
3　からだは自分だけの器官であり、誰かが勝手にさわることはゆるされない。
4　からだが清潔に保たれて、ケガや病気になったときには治療を受けることができる。
5　こころとからだに不安や心配があるときには、相談できるところがあり、サポートを受けることができる。
6　5までのことが実現できてないときは、「やってください」「やめてください！」と、主張することができる。

浅井春夫・艮　香織／編『からだの権利教育入門』（pp.9-10、子どもの未来社）より

---

## スクールセクハラ②

**Gさんは先生の言葉に不快感を感じています。**

　Gさんの担任の先生は、「最近キレイになってきたね」とか、「いいからだになってきたね」などと、Gさんに声をかけてきます。

　一見、ほめられているみたいですが、Gさんは、なにかとてもいやな気持ちになります。

❶ 先生のこのような言動をどう考えるべきでしょうか。

❷ Ｇさんは先生にどう対応するのがいいでしょうか。

（名前　　　　　　　　　　　　　　　　　）

© 水野哲夫 /『授業で使える「生命（いのち）の安全教育」事例集　中学・高校編』(子どもの未来社)

# スクールセクハラ②　考え合うポイント

## ● 先生の言うことはセクハラではない？

　その行為がセクハラかどうかの判断の基準は、その行為をされている人がどう感じるかにあります。されている人が「性的な言動でいやだ」と思っている事実があれば、セクシュアル・ハラスメントと言えるのではないでしょうか。

## ●「やめてほしい」と思ったらどうする？

　先生の言動でやめてほしいことがある場合、どうすればいいのか、学校の現場に即して方策を考える必要があります。

---

## 発展的学習のヒント

● ここでは、「スクールセクハラ」とは、学校の内外において、教職員をはじめとしたおとなが児童生徒等に性的な言動（発言や行為）を行うことと定義しておきます。

　スクールセクハラとなる発言としては、
＊ボディーサイズ等の身体的特徴を話題にする。
＊「恋人はいるの？」「性的経験は？」等個人的、性的な質問をする。
＊性的な冗談やからかい、食事やデートへの誘い、性的な噂を流布する。
＊「男らしく…」「女らしく…」などジェンダーによる決めつけ発言をする。

　スクールセクハラとなる行為としては、
＊キスや体への接触、性交または性交類似行為をする。
＊マッサージやスキンシップなどと称して、体や髪の毛に触れる。体を密着させる。
＊のぞきや盗撮をする。
＊交際を迫る。交際する。
＊SNS等に性的書き込みをする。雑誌等の卑猥な写真をわざと見せたり、目につくところに貼ったりする。
　などを挙げることができます。

　神奈川県教育委員会では、平成21年11月に、県立学校（高等学校及び特別支援学校高等部）全生徒（約11万8千人）を対象にセクシュアル・ハラスメントに関するアンケート調査を行いました。その調査の結果、学校生活の中で次のようなセクシュアル・ハラスメントと思われる被害を受けたという回答が生徒から寄せられました。

**【問】学校生活でセクシュアル・ハラスメントと思われる被害を受けたという人にお聞きしますが、それはどのようなものでしたか** （複数回答可）（回答総数312）

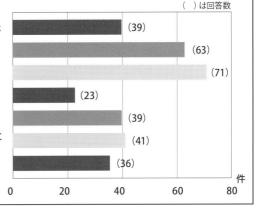

ア：携帯電話等で性的な電子メールや画像を送られた（39）
イ：性的なからかいや冗談等を言われた（63）
ウ：必要もないのに体に触られた（71）
エ：雑誌などのヌードや水着の画像をみせられた（23）
オ：性的な関係を求められた（39）
カ：「女（男）にはまかせられない」「男（女）のくせにだらしがない」等と性別により決めつけられた（41）
キ：その他（36）

（神奈川県教育委員会平成21年度県立学校生徒対象セクシュアル・ハラスメントに係るアンケート調査より）

　各都道府県教育委員会は、学校におけるセクハラ等のハラスメントに関する相談窓口を設けています。教育委員会ホームページを検索して窓口を探してください。また、各都道府県の弁護士会や自治体が子どものための電話相談を受け付けています。

**「学校セクハラ」弁護士に相談して　窓口を開設** 「日本教育新聞」2022年6月6日2面記事

　東京都教育委員会は教職員等による児童・生徒へのわいせつな行為、セクシュアルハラスメントなどを早期に発見するための第三者相談窓口を開設した。児童・生徒や保護者の他、学校の教職員等からの相談も可能。弁護士が相談員を務める。電話とメールで受け付ける。電話は月、火、木曜日の午後3時から6時までと、土曜日の午前9時から正午まで。女性弁護士（０７０・３１６３・９００３）と男性弁護士（０８０・９４１８・８２４５）が対応する。メールでの相談は k.tsuho-soudan@section.metro.tokyo.jp まで。

## JKビジネス

### 友だちが「パパ活」をしています。心配です。

　友だちが「パパ活してるんだ」と話してくれました。

　年上の男性とカラオケに行ったり、デートをしたりしてお金をもらっているというのです。

　「パパ活なんてだいじょうぶなの？」と聞いたら、「だいじょうぶ。だれにも迷惑かけてないし」と言われました。

❶ 「パパ活（またはママ活）」とはどういうことなのでしょうか。

❷ 「だれにも迷惑かけてない」という友だちの答えをどう考えますか。

❸ 本当に「だいじょうぶ」なのでしょうか。考えられるリスクにはどんなことがあるでしょうか。

（名前　　　　　　　　　　　　　　　　）

# JK ビジネス　考え合うポイント

●「パパ活（ママ活）」とは何か？

　「パパ活」あるいは「ママ活」とはどういうものなのか。人によってさまざまな理解があるので、基本的な情報について交流もしながら整理しておく必要があります。いわゆる「交際」的な行為（食事を共にする、カラオケに行くなど）を指す場合もありますが、性的な関係を含むこともあります。

● このような人間関係の特徴は？

　どちらにせよ、金銭を介した「取引的な人間関係」であり、性的な行為を伴う場合は「取引的な性関係」と言えます。

● 金銭を介した「取引的な人間関係」にはリスクはないのか？

　金銭や物品との取引を伴う関係（性的関係含む）が対等平等な人間関係なのかどうかを考えることが大切なポイントになります。

## 発展的学習のヒント

●「パパ活」や「ママ活」、「JK ビジネス」と称するものの中には、「性売買（＝取引的性関係）」と呼んでもいいものが含まれています。「性売買（＝取引的性関係）」に存在するのはどのような問題か、性売買が性売者、性買者双方に何をもたらすのかを考えることは大切な学習テーマです。

## 資料・データ

●「買春は禁止すべきである」という意見に対して、日本とスウェーデンの 19 歳の回答者に限定して調査があります。これをどう見るべきでしょうか。

| | 完全に一致する（%） | 大体一致する（%） | あまり一致しない（%） | 全く一致しない（%） |
|---|---|---|---|---|
| 日本　男子 | 5.7 | 14.3 | 35.7 | 20.0 |
| スウェーデン　男子 | 36.8 | 13.8 | 14.8 | 17.7 |
| 日本　女子 | 22.2 | 28.9 | 27.8 | 6.5 |
| スウェーデン　女子 | 62.4 | 14.8 | 5.1 | 5.4 |

『日本福祉大学研究紀要―現代と文化』（2005 年 8 月）より

日本とスウェーデンのこの大きな違いはなぜ生まれるのでしょうか。スウェーデンと日本の性売買に関する法律の違い、性教育の普及の違いに注目しました。

## 法律

**スウェーデン**　1998年5月、性的サービスに従事する人々の保護を目的とし、セックスを売ることではなく買うことを禁じた「セックスショップ法」、すなわち「買春禁止法」がスウェーデン議会を通過しました。当時、保守派陣営の間では大反対が巻き起こりましたが、2006年の調査では国民の8割が支持するという結果が出て、以降現在に至るまでほぼ国民的コンセンサスを得ています。

**日本**　売春防止法（1956年）が性売買に関する最も古い法律です。

当初法案は「売春禁止法」でした。売春そのものを禁止するもので、買春側の男性への処罰規定がある案でした。日本の国連加盟に売春禁止が必要条件という背景もあり、成立が期せられたのです。しかし、業界団体やその利益代表たる政治家の強い反対で見送られ、「防止法」となりました。この法律で処罰の対象となるのは、「売春勧誘」や「あっせん」「売春の管理や強要」などであり、買売春行為そのものは処罰対象ではありません。性売買に関する日本の法律にはこのほかに、風俗営業法、児童ポルノ・児童買春禁止法、刑法226条の2（人身売買罪　2005年新設）があります。

## 教育

**スウェーデン**　1955年から性教育が必修科目に。10〜11歳でスタート。16歳ごろまでには完了します（性交同意年齢は15歳）。スウェーデン性教育協会などからゲスト講師も。ディスカッションも多い。2011年には、セクシュアリティ、関係性、ジェンダー、ジェンダー平等、ジェンダー規範などが明確な授業範囲とされました（スウェーデンへの留学経験のある福田和子さんのレポートから）。

**日本**　生徒数330名以上の中学校における性教育実施状況調査（2007年、2017年）によると、中学校の3年間合計で、2007年は8.93時間、2017年は8.62時間でした。1年間では3時間以下です。

## 父親から「お風呂に入ろう」とか、「いっしょに寝よう」とさそわれます。

中学1年の女子です。父から「いっしょにお風呂に入ろう」とか、「今夜はお父さんのふとんでいっしょに寝よう」とよく言われます。

いやなので断ると、父は大声でどなったり、母に当たったりします。

だから断りにくいのですが、いつ父から声がかかるか、毎日不安です。

❶ 娘に対する愛情からの行為と考えて、いやでもがまんして受け入れるべきでしょうか。

❷ 父親の行為をどう考えるべきでしょうか。

❸ 相談者は「いやだ」と感じています。この状況を変えるためにはどうすればいいでしょうか。

(名前　　　　　　　　　　　　　　　　)

© 水野哲夫 /『授業で使える「生命（いのち）の安全教育」事例集　中学・高校編』(子どもの未来社)

# 保護者・監護者による加害①　考え合うポイント

## ● 愛情を理由とした行動をどう見るべきか？

　父親の行為は（日本においては）、子どもが幼児の場合は許容されることが多かったのでしょう。また、父親本人は自分の行為は愛情のあらわれと信じているのかもしれません。しかし、父親が自分の行為をどう捉えているかにはかかわりなく、その行為が相手（この場合は中1女子）にとってはどういうものなのかが大切ではないでしょうか。

## ● 肉親の間ではセクハラ・性暴力はあり得ないのか？

　中1女子は父親の行為を「いやだ」と感じています。父親の行為はセクシュアル・ハラスメントであり、児童虐待防止法で禁じられている児童虐待に当たります。被害者が「信頼できるおとな」に助けを求めることは当然の権利であるとともに、相談されたおとなは通告の義務を負います。

## 発展的学習のヒント

- 被害者が相談できる連絡先を知っておく必要があります。
「児童相談所虐待対応ダイヤル」189（24時間365日、無料）
http://www/mhlw.go.jp/bunya/koukintou/gyakutai/（厚生労働省虐待防止対策のページ）
- この問題に関する法律的な知識が先生にも生徒にも必要です。
「児童虐待の防止等に関する法律」（児童虐待防止法）から重要だと思われる内容を紹介します。「児童虐待」とは、保護者（親権を行う者、未成年後見人その他の者で、児童を現に監護する者をいう）が、その監護する児童（十八歳に満たない者をいう）について行う暴行やわいせつ行為、放置や暴言などを指します。
　第六条には「児童虐待を受けたと思われる児童を発見した者は、速やかに、これを市町村、都道府県の設置する福祉事務所若しくは児童相談所又は児童委員を介して市町村、都道府県の設置する福祉事務所若しくは児童相談所に通告しなければならない」という通告義務が定められています。
- 先生が被害を相談された場合どうすべきか。次頁に厚生労働省からのお知らせを紹介します。

## 資料・データ

### 厚生労働省　教職員の皆さんへ　児童虐待に気づいたときの対応

　児童虐待は、子どもたちの成長を妨げ、こころの病気の原因となる深刻な問題です。児童虐待は子どもたちのこころを傷つけるだけでなく、命に関わる問題でもあるため、児童虐待を受けたと思われる児童を発見した場合は、すべての人に通告する義務が定められています（児童虐待防止法第6条）。

　とくに、日頃から子どもたちに接する機会の多い教職員の皆さんは、児童虐待を発見しやすい立場にあるため、早期発見に努める責任も課せられています（児童虐待防止法第5条）。

### ●児童虐待を早期に発見し、子どもたちを守りましょう。

　学校生活や子どもたちの日常生活にふれる中で、たとえば、以下のようなことに気づいたときには、児童相談所や福祉事務所へ連絡または相談するようにしてください。

● 体に説明のつかない傷があるなど、暴力行為を受けていることが疑われる。
● わいせつな行為がなされていることが疑われる。
● 日常的に食事が十分にとれていない、身なりが不衛生など、放置されていることが疑われる。
● 極端な拒否、脅しなどを日常的に受けていることが疑われる。

　児童虐待を早期に発見するためには、生徒がいつでも相談しやすい雰囲気をつくるとともに、学級担任や養護教諭、スクールカウンセラーなど、チームで連携しながら子どもたちの日常生活の把握に努めることが重要です。

### ●通告をためらわないでください。

　虐待ではないかと思っても、通告をためらうことがあるかもしれません。たとえば、保護者との関係が悪化することへの懸念や、虐待の確証が得られない、個人のプライバシーに関わることであるといった理由から通告をためらう場合があるでしょう。

　しかし、虐待の確証が得られない場合であっても、その疑いがある場合には、通告を行うことが義務づけられています。いざというときに相談しやすいように、日頃から児童相談所等とのやりとりや連携を行っておくことが大切です。なお、児童虐待の通告については守秘義務違反を問われることはありません。

## 保護者・監護者による加害②

**父親がふとんに入ってきて、私のからだにさわります。**

週のうち何日も父親がふとんに入ってきて、私のからだにさわります。自分のからだにもさわらせます。家には母もいます。

私はいやでたまりません。以前、母親に「いやでたまらないから、お父さんにやめるように言って」と訴えたことがあります。でも、お母さんはお父さんに何も言えないんです。

私の家には、私の力になってくれる人はいません。

❶ 父親の行為をどう考えるべきでしょうか。

❷ 母親はなぜ何も言えないのでしょうか。

❸ この状況を変えるためにはどうすることが必要でしょうか。

(名前　　　　　　　　　　　　　　)

# 保護者・監護者による加害②　考え合うポイント

## ● 困難な家庭状況の分析をする。

　　父親の行為は子どもに対する性的虐待です。もちろん性暴力です。また、父親と母親の間には権力関係があり、母親自身が父親（夫）に支配されているため、父親の行為にストップをかける保護者はいません。この被害者の家庭を分析し、認識を共有しましょう。

## ● 家庭内性暴力被害の解決にはどんな展望があるのか。

　　第三者の介入が必要な事態です。現実問題として、子どもが助けを求めることはどうしたら可能なのか、実践的な学びが必要とされています。「信頼できるおとな」に助けを求めることが必要です。被害者が助けを求めることは当然の権利です。

## 発展的学習のヒント

- 神奈川県児童相談所の報告書（2018年）では、調査対象とした全212件の性的虐待における「主たる虐待者」を調査しています。それによると、実父が75件（35％）、ついで養（継）父*が合わせて52件（25％）、「兄」が27件（13％）であり、第1回調査から変わらない傾向を示しています。「その他」は、おじ9件、祖父5件、遠縁の親族が3件、弟が1件でした。

　*養父とは養子縁組により親子関係にある父のこと。継父とは母の夫で、子どもとは血縁関係のない父のこと。

- 幼い頃に性虐待を受けた被害者の多くが、「何をされているかわからなかった」「それが性暴力であり、自分は被害者だと気づいたのは相当後になってから」と述べています。

- すべての子どもたちに幼児期から科学的な包括的性教育*を行い、自分のからだの名称と機能、プライバシー、「からだの権利」の認識、性は人権と切り離せないことなどの基本的な知識を身につけることが急務です。

　*「包括的性教育」とは、「科学的に正確で、年齢・成長に即して徐々に進展し、カリキュラムベースで、包括的で、人権的アプローチに基づき、ジェンダー平等を基盤にし、文化的関係と状況に適応させ、学習者に変化をもたらし、学習者の健康的な選択のためのライフスキルを発達させる」性教育のこと。（ユネスコ編集、浅井 春夫他訳『改訂版国際セクシュアリティ教育ガイダンス』明石書店、pp.28〜31）。

### 「宙づりになった被害」

「(…) 母からの性虐待は、ケア・世話といったソフトな装いとともに行われる。欧米の家族とは異なり、息子と母が何歳までお風呂に一緒に入るかは、標準化されておらず、まちまちである。温泉や銭湯の伝統のある日本では親子の入浴は微笑ましい光景であり、中には中学校になっても母親と入浴をする息子もいる。大学生の息子の背中を流す母もいるという。平日仕事で父親が不在であれば、息子が幼いころから母親とずっと一緒に入浴していることが当たり前の日常として続くだろう。母が息子の性器に触ること、性器の形について話すということが起きても不思議ではない。息子の性器を洗う、観察する、それを隠そうとするのはヘンなことだという刷り込みを行う……このような母の行為は性的欲望によるものではなく、むしろ自分を心配し、ケアしてくれているのだと息子を信じ込ませるのに十分である。娘への性虐待が、父からの明らかな侵襲として記憶されるのに比べると、母は息子を侵襲するわけではない。自らの性器を触らせたり接触を試みるような母はほとんどいないからだ。それが彼らの受動性をますます強化することになるのは皮肉なことだ。

　のちにこのことを思い返した彼らは、同性であり性的能動者である父からの性虐待（それによって自分は受動化）とは異なり、性的客体であるはずの女性の親からケアや世話と見分けのつかない行為によって受動化させられたことを自覚する。屈辱・恥をもたらすとはっきり言いきれないぶんだけ、もっと入り組んでいる。それはどこか身震いするような記憶だろう。身体的苦痛が与えられたわけでもない。その分、どう受け止めるべきか混乱し、定義する言葉がみつかるまで長い時が必要となる。」

信田さよ子『〈性〉なる家族』（春秋社）より

●「誰かに話を聞いてほしい」時の相談先を紹介します。

【チャイルドライン】

　18歳までの子どものための相談先です。

　0120-99-7777（毎日 16:00-21:00、無料）　※日時限定でチャット相談もできます。

　http://www.childline.or.jp/

【よりそいホットライン】

　DV・性暴力被害者等への多角的な支援事業を行っています。

　0120-279-338（24時間 365日）岩手・宮城・福島県は 0120-279-226

　http://www.since2011.net/yorisoi/

## レイプ①

**彼がむりやりセックスしました。これはレイプですか？**

　彼の家に遊びに行った時、セックスを求められました。私はしたくなかったので、無言で抵抗したのですが、結局セックスされてしまいました。

　彼は「つきあっているんだし、いいよね」と言うんですが、私は、つきあっていることとセックスをすることは同じじゃないと思います。それに、自分は同意したつもりはありません。

　これって、レイプになりますか？

❶ つきあっている関係には性暴力はない、と言えるでしょうか。

❷ この相手の行為はレイプと言えるでしょうか。

❸ はっきりと拒否しなければ同意したことになるのでしょうか。

（名前 　　　　　　　　　　　　　　　 ）

# レイプ①　考え合うポイント

● **交際関係なら性的同意は必要ないのではないか？　夫婦の場合は？**

　　交際関係であっても、夫婦間であっても、性的同意がない性行為は性暴力であるという認識が国際的には広がっています。「はっきりと具体的な抵抗をしなければ拒否とは言えない」、あるいは「そうしなければ拒否したとはわからない」、という意見があります。しかし、拒否のしかたが大切なのでしょうか。それとも同意についての捉え方や考え方が大切なのでしょうか。

● **性行為を途中で断ることは可能か？**

　　行為に同意して始め、途中でやめたくなったとしたらその時点で拒否することもできます。

## 発展的学習のヒント

● 中高生の性交は禁止されているのではないか、と考える人がいるかもしれません。また、未成年の生徒に性交を含む性的関係の学習が必要かどうかという疑問があるかもしれません。

● 各都道府県の「青少年保護育成条例」は、青少年との「淫行・みだらな性交」を禁止しています。最高裁判例によると、「淫行・みだらな性交」とは、「成人が18歳未満の青少年を誘惑し、威迫し、欺罔し、または困惑させる等その心身の未成熟に乗じた不当な手段により行う性交または性交類似行為」や「青少年を単に自己の性的欲望を満足させるための対象として扱っているとしか認められないような性交または性交類似行為」を意味します。

● 注意すべきこととして、最高裁判例が、「淫行を広く青少年に対する性行為一般をいうものと解すべきではない」と指摘しているように、青少年との性交すべてが違反行為というわけではありません。最高裁判例は、「婚約中の青少年またはこれに準ずる真摯な交際関係にある青少年との間で行われる性行為等は、社会通念上およそ処罰の対象として考え難い」とも指摘しています。

● この考え方を援用するなら、高校生同士、あるいは高校生と中学生や中学生同士（性交同意年齢とされている13歳を超える）の間での性行為や性的関係は、法的処罰の対象ではないと言えるでしょう。

● 性的関係は人間関係において重要なファクターであり、成長発達に無視できない影

響を与えます。また性暴力は心身に大きな被害を及ぼします。

●これらの理由から、中高生にも性的関係にかかわる学びが必要なのではないかと考えます。

## 資料・データ

同意について考える際に参考になる『考えたことある？性的同意　知らないってダメかも』（ピート・ワリス＆タリア・ワリス著　ジョセフ・ウィルキンズ絵　上田勢子訳　水野哲夫監修　子どもの未来社　2021年）の一部を紹介します。

＊このマンガでは、４コマ目に出てくる人物が「するかしないか、私が決めていいことなの？」と友人に尋ねます。

友人は「イヤと言わないことが同意じゃなくて、積極的にイエスと言うのが同意だよ」と答えます。

断りづらくて知り合いとセックスしたら、「はっきり断らなかったあなたが悪い」と友だちに言われました。

知り合いに「セックスしよう」と言われ、断ったらこれから後の関係がまずくなるかもと考えて、はっきり「いやです」と拒否できませんでした。

そうしているうちに性交されてしまい、そのことを友だちに相談したら、「はっきり『いや』と言わなかったあなたがよくないよ。いやならどうして拒否しなかったの」と言われました。

## レイプ例② 学習プリント

**❶** このケースの問題点はどこにあるのでしょうか。

**❷** はっきりと拒否しなかったことは性交を受け入れたことになるのでしょうか。

**❸** セックスしようと言った相手は明確な拒否や抵抗がなかったことで同意を得たことになるのでしょうか。

（名前　　　　　　　　　　　　　　　）

# レイプ②　考え合うポイント

## ● 性的同意とはどういうことなのか？

性的同意に関してこんなことがよく言われていませんか？

＊セックスすることも含めて納得して交際しているのだから、いちいち同意なんてとる必要はない。

＊同意を確認なんてしてたら、ムードがこわれて台無しになる。

＊そのたびに書面での確認でもするのか。同意なんて非現実的だ。

性的同意についてはさまざまな疑問や俗説があります。それについて考えることが必要です。このような意見をどう考えるか、考え合って意見交流するのも大切なことです。

## 発展的学習のヒント

● 性的同意について考える際、そもそも日常生活において、同意や合意を大切にしているかどうかが問い直される必要があります。日常の人間関係は多種多様であり、自分の意見を聞かれることがない場合や、不本意でもその場の「空気」に合わせてしまう場合もあるでしょう。

● ここでは、交際関係という密接な人間関係における日常的なコミュニケーションを考えます。たとえば、どこで食事をする、どんなメニューにする、誰が支払う、どこに遊びに行く、いつにする、どうやって行く、などのそれぞれについて合意はされているでしょうか。日ごろから自分の好みや考えや都合などを、自由に、遠慮なく、圧迫なく、しかもいやな気持ちを生まないように意見交換して、互いが納得するように決めているでしょうか。

● 性的同意の場面で不本意な同意をしてしまわないように、普段のコミュニケーションから自分の意見を言うように心がけることは大切です。

## 資料・データ

モデルとなる性的同意に関するチェックリストを作成しました（次頁）。リストに書かれていることはすべてまちがった内容です。1つでもチェックが入った人は、それが勘違いだということを知ってください。

## 「性的同意」について　自分の認識を診断するチェックリスト

以下のリストに書かれていることが正しいと思うときはチェックを入れてください。

| ☑チェック | 番号 | 記述 |
|---|---|---|
| | 1 | キスしてもいいという人は、性行為にも同意している。 |
| | 2 | 相手が性行為を拒否してないなら性行為をしてもいい。 |
| | 3 | 交際しているんだから性行為するのは当たり前だ。 |
| | 4 | 一度性行為の同意を取ったら、その後はいちいち性行為への同意を取る必要はない。 |
| | 5 | 家に泊まるのは性行為に同意しているサインだ。 |
| | 6 | 性行為が本当にイヤなら激しく抵抗するはずだ。そうしないのは同意しているサインだ。 |
| | 7 | DJがいて一晩中おどれるクラブに来ている人は、そこで出会った人と性行為があっても当然だと覚悟しているはずだ。 |

## 痴漢

# 電車でからだをさわられ、先生に相談したら「スカートが短いせい」としかられました。

　登校するときに乗った電車の中で、からだをさわられました。

　学校で先生に「痴漢にあいました」と言ったら、先生から「あなたがそんな短いスカートをはいているから、痴漢にあうのよ」と、しかられてしまいました。

## 痴漢　学習プリント

❶ 痴漢にあうのは被害者の服装などが原因なのでしょうか。

❷ 「痴漢」は性暴力なのでしょうか。それとも、別のものなのでしょうか。

❸ 先生の対応をどう考えますか？

(名前 _____ )

# 痴漢　考え合うポイント

## ● 痴漢加害者はどのように被害者を選ぶか

　　痴漢加害者に、どのように被害者を選んだのかを尋ねた調査結果があります（次頁の資料参照）。資料を見て、事実と、「痴漢」にまつわる言説とを比較してみましょう。

## ●「痴漢」は性暴力か

　　「痴漢」と呼ばれていますが、この行為は性暴力です。「痴漢」（文字通りの意味はバカな男）という語がその本質を見えにくくしている面もあります。

## ● 性暴力の被害者への対応

　　性暴力の被害者への対応を、「ゆあさいどくまもと」から学びましょう（p.61 参照）。

## 発展的学習のヒント

● 埋もれてきた声をすくい上げようと開発されたアプリ「痴漢レーダー」を通じて寄せられた 2000 件超の情報を分析した結果から実態を紹介します（NHK「クローズアップ現代＋」「データが浮き彫りに！知られざる痴漢被害の実態」2020 年 1 月 23 日放映から）。

　　詳しい被害の状況が報告された 691 件のデータを分析すると、電車内での被害が66％、駅構内が 22％、路上が 6％、映画館やコンビニなど、その他が 6％という結果が出ました。電車内以外の被害報告は 235 件でした。

　　多発している場所は「明るく人目が多い所」や「逃げやすい経路がある所」。また「すれ違いざまを狙う」「自転車を使う」など卑劣な手口も見えてきました（詳しくは、https://www.nhk.or.jp/gendai/articles/4376/ 参照）。

● 同番組では、再犯防止プログラムに取り組んでいる斉藤章佳氏が痴漢被害をなくすための提言をしています。

　　「前提として確認しておきたいことなんですが、痴漢問題は性犯罪であるという前提と、人権侵害行為であるということが重要です。もう一つ、99％の痴漢は男性がやっております。つまり男性問題であると。ここを前提に痴漢撲滅のために、私から三つの提案をしたいと思います。

　　一つ目は 1 次予防です。これは予防教育、性教育や啓発活動。

　　二つ目は 2 次予防です。これは早期発見、早期治療です。（…）このあたりは初犯の段階で治療命令が出るような制度設計が必要だと思います。

三つめは3次予防です。これは、今われわれが10年以上取り組んでいる再発防止のための専門治療です。この三つにしっかりと取り組んでいくことで、成果が出てくるというふうに考えています」

## 資料・データ

●電車内の痴漢で検挙・送致された者219人を対象とした意識調査「なぜその被害者だったのか（複数回答）」から回答を紹介します。

「偶然近くにいた」111人（50.7%）

「好みのタイプだった」74人（33.8%）

「訴え出そうにないと思った」20人（9.1%）

（「電車内の痴漢防止に係る研究会の報告書」2011年から）

『性犯罪加害者の理解と対策 ―法務省「性犯罪加害者の理解と対策」』（聖マリアンナ医科大学 神経精神科学教室 安藤久美子）によると、

＊性犯罪者は捕まらないように被害者や状況を選ぶ。

＊「より弱い」者／「抵抗しないであろう」者を選ぶ。

＊特殊な性嗜好のある者もあるが、年齢（60歳以上の場合もある）、容姿、服装は関係ないこともある。

＊男子の被害も実際には多い。

＊嗜好の偏りは、思春期頃から現れる。

痴漢被害データ　　2300件が全国各地で…電車の中、駅構内のどこで？

## どこで被害に遭ったか（691件）

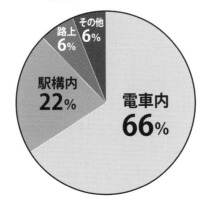

（NHK「クローズアップ現代」2020年1月23日放送）より

## 性的いじめ

**ズボンやパンツをおろされ、「遊びだからいいじゃないか」と言われてこまっています。**

　男子生徒です。男子の友だちから、ズボンおろしをされることがよくあります。このあいだは、パンツまで下げられました。

　「やめてくれ」と言っても、「遊びだからいいじゃん。かたいこと言うなよ」とスルーされてしまいます。

　でも、いやでたまりません。

## 性的いじめ 学習プリント

❶ 友だちは「遊び」と言っています。どう考えますか。

❷ 性を笑いのネタにするケースは他にはないでしょうか。

❸「性的いじめ」について知っていることがありますか。

(名前　　　　　　　　　　　　　　　　　)

# 性的いじめ　考え合うポイント

● 「された側」がどう感じているか

　友だちは「遊び」と言っていても、「された側」がどう感じているのかを考えると、「遊び」という言い分は成り立ちません。加害側がどう考えているか、どういうつもりなのかではなく、「された側」がどう感じているかを大切にする必要があります。

● この行為は「いじめ」か？

　いじめです。いじめ行為の中には性を対象としたものがあり、「性的いじめ」と名づけることも行われています。「性的いじめ」も性暴力であることを押さえておく必要があります。「いじめではなく、いじり」という言い分についても考えておく必要があります。「いじり」と言ったとしても、されている側にとっては「いじめ」と同じです。

● 性を話題にしたいじめについて

　性を話題にしたいじめや性的ないじめについて、他にどんなことがあるでしょうか。

## 発展的学習のヒント

● 学校での性暴力のかなりの部分はいじめと切り離せません。多くの学校関係者が見聞きしているいじめの中には、当然性暴力ととらえるべきものがあるのは確実です。それらを一般的ないじめと区別して「性的いじめ」とすることで、学校でのいじめの深刻な現実を、より正確に描き出すことができるでしょう。

● 文科省や教育委員会のいじめに関する調査―「児童生徒の問題行動等生徒指導上の諸問題に関する調査」にも、「いじめの様態」に「嫌なことや恥ずかしいこと、危険なことをされたり、させられたりする」という項目はありますが、性暴力、性虐待に特化した調査はありません。しかし、事件化したケースの中にも「性的いじめ」は決して少なくなく、被害者のこころとからだに大きな傷を残しており、自殺の引き金になっていることも十分考えられます。

● 多くの性的いじめの被害者は、被害にあっていることを隠そうとします。これは一般的ないじめの場合でも同様ですが、性的いじめの場合は、性に対する羞恥心も加わることにより、いっそう強いものがあります。

## 資料・データ

　性的いじめの具体例を、いじめ問題の解決を目指すNPO法人「ジェントルハートプロジェクト」理事の武田さち子氏の「性的いじめの現状と大人たちがすべきこと」（『季

刊セクシュアリティ』第61号）から抜粋してまとめました。

## 小学生

　女子のスカートめくり、男女ともにズボン下ろしや下着脱がし、とくに水泳の授業などで、下着やタオルを隠す、着替えの最中にバスタオルをはぎとる、教室から追い出すなど。トイレで服を脱がす、性器を触る、人前での排泄を強要する、便器に顔をつっこみ、舐めることを強要するなど。わいせつな言動の強制、人前でのキスの強要など。

## 中学生

　性を連想させるあだ名をつけてからかう、肉体的特徴をからかう、からだを触る、性的行為を強要するなど。下着姿や裸体、性的行為を携帯電話で撮影し、ネットで公開するなど。（特に男子のグループ内では）服を脱がせる、性器を露出させる、自慰行為を強要するなど。（女子の場合は）なりすましてネットなどに「援助交際」を呼びかける投稿をする、売春を強要し金を巻き上げる、男子生徒にレイプさせる、その様子を撮影しネット上に公開するなど。（移動教室や修学旅行などで）入浴中の裸体の撮影、無理やり裸にして撮影する、自慰行為を強要し、撮影する、それらを、ネット上に公開するなど。

## 高校生・大学生

　性的いじめの嗜虐性がいっそう強まる。

---

コラム

## 旭川いじめ事件　～2021年2月に凍死した旭川女子中学生へのいじめ事件と「性的いじめ」

　当該の女子中学生は、2019年4月中学校に入学後まもなく、数人の男女中学生からいじめを受けるようになりました。いじめを受けていた彼女と保護者の訴えに対する中学校担任、教頭、校長と旭川市教委の対応の非人間性は、これまでさまざまに報道されています。

　ここでは、彼女へのいじめ行為の中心部分に「性的いじめ」があり、そのことが彼女を深く苦しめていたことを指摘しておきたいと思います。

　彼女が受けていたいじめ行為の中には、「裸の動画送って」「写真でもいい」「お願いお願い」などとLINEメッセージで脅迫されることもありました。さらに自慰行為を撮影して画像を送るよう強要するいじめもありました。彼女は恐怖を感じて自慰行為の画像を男子中学生に送ります。すると、その画像は中学生のLINEグループに拡散され、後日呼び出されて多数の目の前で自慰行為をするよう強要されます。これらは明確な「性的いじめ」です。

　マスメディアではこの言葉を使った報道はありませんでした。そこには何らかの「報道コード」の存在も考えられますが、いずれにしても各種いじめ報道の表面だけを見ているのでは「性的いじめ」の存在はわかりにくくなっています。いじめ事件の中には「性的いじめ」がかなり高い確率で存在することを意識する必要があります。

## 被害を打ち明けられたら

友人が知り合いの家で性被害にあったというので、どうしてそんなところに行ったの？　と問いつめました。

　親しい友人が、一人で知り合いの家に行き、性暴力の被害にあったと打ち明けてきました。

　私は、被害にあった友人のことが心配で、思わず「どうしてそんなところに行ったの？」「どうして一人で行ったの？」と、問いつめました。

　そして「すぐに被害を訴えたほうがいいよ」と、指示をしました。

❶ 被害者を問いつめたことは、被害者にどんな影響を与えるでしょうか。

❷ 「すぐに訴えよう」と指示することは、被害者にどんな影響を与えるでしょうか。

❸ 被害者にはどういう対応をしたらよいでしょうか。

（名前　　　　　　　　　　　　　　　　　）

# 被害を打ち明けられたら　考え合うポイント

## ● 性暴力の被害を打ち明けられた時どうするか？

　性暴力被害者から被害を打ち明けられた時、被害者への対応で大切にしてほしいこと、できるだけ避けてほしいことを知りましょう。問いつめたり、行動を非難したり、すぐに訴えようと促すことが必要か、考えてみましょう。

## ● 暴力の被害を打ち明けられた人に表れる特有の反応とは？

　性暴力の被害を打ち明けられた時、打ち明けられた人には特有の反応が表れます。そのことに対する知見も必要です。

## ● 性暴力被害者にとって大切な対応の知見は？

　性暴力被害者にとって大切な対応に関する知見は、被害者支援団体や医師などから積極的に得ていく必要があります。
　「ゆあさいどくまもと」（p.61）のホームページ記述も参考にしてください。

## 発展的学習のヒント

● 性暴力被害者から被害を打ち明けられた時、どのような反応や対応をしがちなのかを、NHK が 2022 年 3 ～ 4 月にかけて行った「性暴力実態アンケート」（38,383 件の回答あり）から見ていきましょう。

| 被害後の周囲の反応 | 全回答 | 顔見知りなどからの被害 |
|---|---|---|
| 「たいしたことはない」「よくあることだ」など矮小化するようなことを言われた | 23.5% | 25.6% |
| 「もう忘れた方がいい」など "なかったこと" にすることをすすめられた | 14.9% | 16.9% |
| 「相手が酔っていたからしかたがない」など加害者を擁護するようなことを言われた | 13.8% | 20.2% |
| 「あなたが魅力的だったから」など肯定的に捉えるようなことを言われた | 13.7% | 16.5% |
| 「ちゃんと断らなかったんじゃない?」「抵抗しなかったから」など責めるようなことを言われた | 11.7% | 15.6% |
| 被害に関して傷つくことを直接言われた | 7.5% | 9.1% |
| SNS などネット上の書き込みに傷ついた | 5.4% | 6.2% |
| マスコミの報道に傷ついた | 2.6% | 3.3% |
| 被害後の周囲の反応で傷ついたこと・困ったことはない | 25.1% | 19.8% |

　NHK「性暴力実態アンケート」より
　出典　https://www.nhk.or.jp/gendai/comment/0083/index0002.html

周囲の反応で最も多かったのは「たいしたことはない」「よくあることだ」など、矮小化するようなことばで、被害者の 23.5% が選択しました。被害にあった人を励ますつもりの「もう忘れた方がいい」ということばも、14.9% が「傷ついた」と選択しています。本人が忘れたいと思っていても忘れられないのが性暴力被害だからです。「あなたが魅力的だったから」など被害を肯定的に捉えるようなことも 13.7% が言われていました。「被害後の周囲の反応で傷ついたこと・困ったことはない」人は 25.1% にすぎません。

　さらに、周囲の反応で傷ついたことがある人を対象に、「その発言をしたのは、あなたとどんな関係の人ですか」と尋ねると、最も多かったのは「親」で 27.4%。次いで「友人」20.1%、「職場の人」13.5% でした。相談する相手として身近な人が多いのは当然とも考えられますが、それでもこの 3 つの選択肢が多くを占めていることに留意する必要があります。

## 資料・データ

**性暴力被害者のためのサポートセンター「ゆあさいどくまもと」ホームページより**

**●性暴力被害を打ち明けられたあなたは、信頼できる人なのです。**

　被害にあった人の話を聞き、あなたもショックを受けたり動揺したり、どう接していいかわからなくなるかもしれません。何気ない一言が大切な人を傷つけてしまうこともあります。相談できるところがあることを伝えてください。あなたにも、気持ちが話せるところが必要です。**ゆあさいどくまもと**にお電話をください。私たちも一緒に考えていきたいと思います。

**●被害にあった人を支えるときに**

　被害にあった人に接するときには、つぎのようなことが役にたちます。

● 話を信じて聴きましょう。話はあいまいだったり、つじつまが合わなかったり、記憶が途切れていたりすることもあります。それは、被害にあったショックによるもので、よく見られることです。また、あなたに心配をかけないように、すべてを話せないこともあります。

● 「したこと」や「しなかったこと」を責めたり、問い詰めたりせずに、落ち着いてそのまま受け止めてください。

● 自分を責めるようなことを言ったら、「あなたは悪くない」ということを繰り返し伝えてください。

● 「たいしたことはない」「早く忘れなさい」など相手のことを思っての言葉でも、傷つけてしまうこともあります。急がせず、あせらずにゆっくり支え続けてください。

● 勇気を持って話してくれたことを温かく受け止め、「話してくれて良かった」ということを伝えてください。

● あなた自身も頑張りすぎないでください。その人のペースに合わせた対応をすることが大切です。https://yourside-kumamoto.jp/your-friend

## 信じてもらえない性被害

**習い事の女性の先生からむりやり性行為をされたのですが、だれにも言えません。**

　男子生徒です。習い事の女性の先生から、むりやり性行為をさせられました。

　まさか、先生からそんなことをされるとは思ってもみなかったので、とてもショックです。

　きっと、自分と同じでだれもそんなことは考えられないと思うので、信じてもらえないでしょう。

　なので、友だちにも相談できないし、もちろん親にも言えません。どうしたらいいでしょうか。

❶ この生徒と習い事の先生との人間関係は、対等平等なものでしょうか。

❷ 男性は性被害を受けないという考えは、現実を反映したものといえるでしょうか。

❸ この被害者にはどのようなサポートが必要でしょうか。

(名前　　　　　　　　　　　　　　　)

© 水野哲夫／『授業で使える「生命（いのち）の安全教育」事例集　中学・高校編』（子どもの未来社）

# 信じてもらえない性被害　考え合うポイント

## ● 性暴力と不均衡な力関係

　性暴力は不均衡な力関係において発生するという点に注目しましょう。不均衡な力関係とはどんなケースか、具体的に挙げてみましょう。

## ● 性暴力をめぐる思い込み、迷信、誤解

　性暴力に関する現実・事実とは異なる偏見や俗見、思い込みは根深く、「迷信」あるいは「神話」などと表現されることもあります。こうした「迷信」「神話」の中には、「男性の性暴力被害者などいないに等しい」というものもあります。男性被害者は「見えない存在」にされていることが多いのです。

## ● 一般的な暴力と性暴力の共通面と異なる面

　性暴力はジェンダーを強く反映した暴力であるとともに、すべてのジェンダーの人々にかかわる暴力でもあります。これらを、資料の裏付けも得て確かな認識にしていく必要があります。

## 発展的学習のヒント

● 性暴力被害者のためのサポートセンター「ゆあさいどくまもと」ホームページから、被害にあった男性に関連する箇所を一部改変して伝えます。

### 被害にあった男性の方へ

　「男性が性暴力被害にあうはずがない」そんな思い込みがあるかもしれません。
性暴力被害は性別関係なく起きうるもの。あなたの同意なく身体にふれること、性的接触をすることは性暴力です。

● **男性・男の子も性暴力の被害にあうことがあります**
● 体をさわられる
● 性器をさわられる、性器にさわらせられる
● 裸をみられる
● 性的な画像や動画を見せられる
● 性的な被写体として撮影される
● レイプされる

など、基本的には女性の受ける被害と同じです。加害者は男性であることも女性であることもあります。

● 男性が性暴力の被害にあうはずがない？

●「被害にあっても男性は傷つかない」

●「傷ついたとしても大したことではない」

●「男性だったら抵抗できたのでは？」

●「女性から襲われてうらやましい」

●「勃起して射精してしまい、気持ちよくなったのは自分も楽しんだということ？」（性的な刺激に体が反応してしまうのはとても自然なことです）

　残念ながら、社会の中には、上記のような誤った思い込みがあります。そのため、勇気を出して相談しても信じてもらえなかったり、からかいにもとれる反応をされたりすることが多いのも事実です。　　https://yourside-kumamoto.jp/for-men

## 資料・データ

　日本性教育協会編　『「若者の性」白書―第8回青少年の性行動全国調査報告』を見ると、男子も女子も性被害にあっていることがわかります。

| あなたは以下のような性的な被害を、付き合っている人以外から受けたことがありますか。 | | | |
|---|---|---|---|
| 身体をじろじろ見られた（%） | | | |
| | 高校男子 2,127人 | 高校女子 2,149人 | 大学男子 1,776人 | 大学女子 2,407人 |
| ある | 1.2 | 10.9 | 3.0 | 13.3 |
| ない | 99.6 | 89.1 | 97.0 | 86.7 |
| 言葉などで性的なからかいを受けた（%） | | | |
| | 高校男子 | 高校女子 | 大学男子 | 大学女子 |
| ある | 3.9 | 13.2 | 5.5 | 16.5 |
| ない | 96.1 | 86,8 | 94.5 | 83.5 |
| 相手の裸や性器を見せられた（%） | | | |
| | 高校男子 | 高校女子 | 大学男子 | 大学女子 |
| ある | 1.8 | 11.0 | 2.3 | 10.9 |
| ない | 98.2 | 89.0 | 97.7 | 89.1 |
| 性的な誘惑を受けた（%） | | | |
| | 高校男子 | 高校女子 | 大学男子 | 大学女子 |
| ある | 3.4 | 12.4 | 6.5 | 12.5 |
| ない | 96.6 | 87.6 | 93.5 | 87.5 |
| 望まない性的な行為をさせられた（%） | | | |
| | 高校男子 | 高校女子 | 大学男子 | 大学女子 |
| ある | 0.8 | 3.4 | 1.3 | 4.0 |
| ない | 99.2 | 96.6 | 98.7 | 96.0 |

『「若者の性」白書―第8回青少年の性行動全国調査報告』（2017年調査　小学館　2019年）より

# SOGI ハラスメント①

## 高校の女子用の制服を着るのが苦痛です。

　高校生です。学校の女子用制服（スカートとブレザー）を着るのが苦痛なので、親といっしょに、「体育着で通学したり、学習したい」と担任の先生に相談しました。

　先生からは、「戸籍では女性となっているので、校則に従って女子の制服を着てくれないと困る。性別を変更したら認める。それができないのであれば、この学校に通うことは難しい」と言われました。

❶ この高校の校則では、制服の規定はどのようになっていると考えられるでしょう。

❷ そのような校則が作られているのはどういう理由からだと思いますか？

❸ 自分の学校にある男女別のルールや決まりをあらためて考えてみましょう。

（名前　　　　　　　　　　　　　　　　　）

# SOGI ハラスメント① 考え合うポイント

## ● なぜ制服等に男女による指定があるのか

　学校では「男子は〜」「女子は〜」という形で整列などの行動を指示されたり、男女別に名簿を作ったりすることがあります。「男女性別二元論」に基づく決まりや規範もたくさんあります。制服などの服装指定もその一つです。

## ● どうしてそんなルール（校則）があるのか

　安全の確保などの理由から必要な区別や指定もありますが、そうでないものもあるでしょう。「当たり前」だと考えられてきた「男女性別二元論」に基づく様々な決まり、規範などを見つめ直してみる必要があるのではないでしょうか。

　文部科学省も、「性同一性障害や性的指向・性自認に係る、児童生徒に対するきめ細かな対応等の実施について」という通達文書（2015 年）や教職員向けパンフレットで、「いわゆる『性的マイノリティ』とされる児童生徒全般に共通する」きめ細かな対応を、「自殺総合対策大綱」を踏まえて進めるよう指示しています。

## ● 日本における性別変更の条件とは

　このケースでの担任の「性別変更をしなければ」という発言は、文科省通達の趣旨とは異なっています。さらに、日本における性別変更の条件に照らすと、相談者の生徒には不可能なことを要求していることになります。

日本における性別変更の条件【概要】

・二人以上の医師により、性同一性障害であることが診断されていること
・18 歳以上であること
・現に婚姻をしていないこと
・現に未成年の子がいないこと
・生殖腺がないこと又は生殖腺の機能を永続的に欠く状態にあること
・他の性別の性器の部分に近似する外観を備えていること

## 発展的学習のヒント

●制服のジェンダーレス化は、いくつもの学校で実行されています。トンボ学生服の担当者によると、同社の全国の中学校・高校のジェンダーレス制服採用校数は 2018年 370 校、2019 年 450 校、2020 年 750 校、2021 年に 1,000 校強となっているそうです。　https://www.asahi.com/edua/article/14314851

● 文科省「性同一性障害や性的指向・性自認に係る、児童生徒に対するきめ細かな対応等の実施について」という通達文書（2015年）の7割は、性同一性障害についての対応指針記述です。学校内外にサポートチームを作ること、専門知識を有する医療との連携、学校生活の各場面における支援の心得、対応事例の表という内容です。これは大切なことですが、さらに視野を広げて、学校がすべての人の多様性を大切にする場になっているかどうかを生徒とともに見つめ直してみてはどうでしょうか。

●「多様性」はセクシュアリティに関することだけではありません。民族、障がいの有無、価値観、家庭状況、成育歴、学習履歴など、個人のいくつもの属性において多様性があります。

●「多様性が尊重される学校は誰もが大切にされる場所」という視点は重要です。ある調査で「個性を尊重する校則」を求める意見は、「社会に出てから必要な学習」に次ぐ高率でした。「個性を尊重する」という表現の中に、「多様性の尊重」も読み取ることが大切ではないでしょうか（下記グラフ参照）。

## 資料・データ

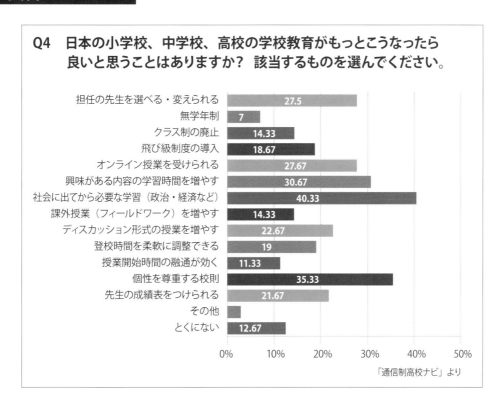

Q4　日本の小学校、中学校、高校の学校教育がもっとこうなったら良いと思うことはありますか？ 該当するものを選んでください。

| 項目 | 割合 |
| --- | --- |
| 担任の先生を選べる・変えられる | 27.5 |
| 無学年制 | 7 |
| クラス制の廃止 | 14.33 |
| 飛び級制度の導入 | 18.67 |
| オンライン授業を受けられる | 27.67 |
| 興味がある内容の学習時間を増やす | 30.67 |
| 社会に出てから必要な学習（政治・経済など） | 40.33 |
| 課外授業（フィールドワーク）を増やす | 14.33 |
| ディスカッション形式の授業を増やす | 22.67 |
| 登校時間を柔軟に調整できる | 19 |
| 授業開始時間の融通が効く | 11.33 |
| 個性を尊重する校則 | 35.33 |
| 先生の成績表をつけられる | 21.67 |
| その他 | |
| とくにない | 12.67 |

「通信制高校ナビ」より

「日本の学校教育についての意識調査」・調査対象：全国の15歳以上、69歳以下の300名（10代〜60代まで各年代50名ずつ）
調査期間：2022年4月22日・調査方法：インターネットでのアンケート調査
出典：通信制高校ナビ　https://www.tsuushinsei-navi.com/real/issue/4243/

## 性の権利宣言

　「性の権利宣言」という宣言を紹介します。1999年に第14回性の健康世界学会（WAS）総会において採択され、2014年に改訂された、性に関する基本的かつ普遍的な権利として掲げられた宣言で、16の権利項目からなっています。https://worldsexualhealth.net/wp-content/uploads/2014/10/DSR-Japanese.pdf

### 1. 平等と差別されない権利

　人は誰も、人種、民族、肌の色、性別、言語、宗教、政治上その他の意見、国民的もしくは社会的出自、居住地、財産、門地、障がいの有無、年齢、国籍、婚姻状況・家族関係、性的指向、ジェンダー・アイデンティティやジェンダー表現、経済的・社会的状況、又はこれに類するいかなる事由によっても区別されることなく、この宣言に掲げるすべての性の権利を享受することができる。

### 2. 生命、自由、および身体の安全を守る権利

　人は誰も、生命、自由、および安全についての権利を有し、セクシュアリティに関連する事由によってほしいままに脅かされたり、制限を受けたり、取り上げられるようなことがあってはならない。これには、性的指向、合意に基づく性的な行動や実践、ジェンダー・アイデンティティやジェンダー表現、性と生殖に関する健康に関するサービスへのアクセスや提供が含まれる。

### 3. 自律性と身体保全に関する権利

　人は誰も、セクシュアリティと身体に関する事柄について自由に自己管理し、自己決定する権利を有する。これには、他者の権利を尊重しつつ、性行動・性行為・性的パートナーや性的関係に関して選択する権利が含まれる。自由かつ情報に基づく意思決定を保障するには、性に関わるあらゆる検査・介入・セラピー・手術あるいは研究の実施に先立って、自由な環境で説明に基づく同意を得る必要がある。

### 4. 拷問、及び残酷な、非人道的な又は品位を傷つける取り扱い又は刑罰から自由でいる権利

　人は誰も、セクシュアリティに関連した事由による拷問、及び残酷な、非人道的又は品位を傷つける取り扱い又は処罰を受けるようなことがあってはならない。性別、ジェンダー、性的指向、ジェンダー・アイデンティティやジェンダー表現、あるいは多様な身体のありように関連する事由による拷問、及び残酷な、非人道的又は品位を傷つける取り扱いの例には、有害な伝統的因習、断種（不妊）・避妊・中絶の強制・強要などが含まれる。

### 5. あらゆる暴力や強制・強要から自由でいる権利

　人は誰も、セクシュアリティに関連した暴力や強制・強要を受けるようなことがあってはならない。その例には、強姦、性的虐待、セクシュアル・ハラスメント、いじめ、性的搾取および性奴隷、性的搾取を目的とした人身取引、処女検査、および実際の又は（それがあったと）察せられた性行為、性的指向、ジェンダー・アイデンティティやジェンダー表現、あるいは多様な身体のありようを事由とする暴力が含まれる。

### 6. プライバシーの権利

　人は誰も、性生活、自己の身体や合意に基づく性的関係や性行為に関する選択に関連したプライバシーに対して、ほしいままに干渉されたり侵害されたりすることから自由である権利を有する。この権利には、セクシュアリティに関連した個人情報を他者に開示することについてコントロール（管理・調節）する権利が含まれる。

### 7. 楽しめて満足できかつ安全な性的経験をする可能性のある、性の健康を含む、望みうる最高の性の健康を享受する権利

　人は誰も、楽しめて満足できかつ安全な性的経験をする可能性を含め、セクシュアリティに関して、望みうる最高の健康とウェルビーイングを享受する権利を有する。そのためには、性の健康を含む健康に影響を及

ぼし、それを規定する状態に対して、質の高い保健サービスが利用できる形で存在し、入手可能であり、利用者が納得いくものになっている必要がある。

## 8. 科学の進歩と応用の恩恵を享受する権利

人は誰も、セクシュアリティと性の健康に関わる科学的進歩と応用の恩恵を享受する権利を有する。

## 9. 情報への権利

人は誰も、様々な情報源を通じて、セクシュアリティ・性の健康・性の権利に関する科学的に正しく、理解可能な情報を入手する権利がある。こうした情報がほしいままに検閲されたり、取り上げられたり、又は意図的に誤って伝えられるようなことがあってはならない。

## 10. 教育を受ける権利、包括的な性教育を受ける権利

人は誰も、教育を受ける権利および包括的な性教育を受ける権利を有する。包括的な性教育は、年齢に対して適切で、科学的に正しく、文化的能力に相応し、人権、ジェンダーの平等、セクシュアリティや快楽に対して肯定的なアプローチをその基礎に置くものでなければならない。

## 11. 平等かつ十分かつ自由な同意に基づいた婚姻関係又は他の類する形態を始め、築き、解消する権利

人は誰も、結婚するかどうかを選択し、平等かつ十分かつ自由な同意に基づいた婚姻関係又は他の類する形態を始め、築き、解消する権利を有する。すべての人に対して、婚姻関係又は他の類する形態を始め、継続し、あるいは解消することについて、いかなる差別や排除を受けることのない平等な権利が保障されるべきである。これには、そうした関係性の形態の如何にかかわらず、社会福祉および他の恩恵を享受する平等な権利が含まれる。

## 12. 子どもを持つか持たないか、子どもの人数や出産間隔を決定し、それを実現するための情報と手段を有する権利

人は誰も、子どもを持つか持たないか、子どもの人数や出産間隔を決定する権利を有する。この権利を行使するためには、健康とウェルビーイングに影響を及ぼし、それを規定する要件や状態（妊娠・避妊・妊孕性・妊娠中絶・養子縁組に関連する性と生殖に関する保健サービス）にアクセスする権利が保障されなければならない。

## 13. 思想、意見、表現の自由に関する権利

人は誰も、セクシュアリティに関する思想、意見、表現の自由に関する権利を有し、他者の権利を尊重しつつ、外見、コミュニケーションおよび行動などを通じて、自己のセクシュアリティを表現する権利を有する。

## 14. 結社と平和的な集会の自由に関する権利

人は誰も、セクシュアリティや性の健康と権利などに関して、平和的に組織化、結社、集会、行動する権利を有する。

## 15. 公的・政治的生活に参画する権利

人は誰も、人間の生活における市民的、経済的、社会的、文化的、政治的およびその他の側面について、地方・国・地域・国際的レベルで、活発にして自由で意味ある参画と貢献を可能にする環境に対する権利を有する。とくに、すべての人は、セクシュアリティと性の健康を含む、自己の福祉を規定する政策の策定および施行に参加する権利を有する。

## 16. 正義、善後策および救済を求める権利

人は誰もが、性の権利侵害に対する正義、善後策、救済を求める権利を有する。この権利を行使する手段は、有効で、適切で、アクセス可能で、適切でなければならず、適切な教育措置、法的措置、司法措置および他の措置を必要とする。善後策には、賠償、補償、リハビリテーション、満足感、および再発防止の補償などによる救済が含まれる。

## SOGI ハラスメント②

**同性から性被害を受けたら、「同性愛者」と言われました。**

男子高校生です。小学生のころに、トイレで男性から性的暴行を受けた経験があります。その記憶が時々フラッシュバックしてつらいので、信頼していた友だちに相談しました。

しばらくすると、クラスで自分のことを「同性愛者だ」とウワサしていることがわかりました。そのウワサの出所は、相談した友人以外には考えられません。

とてもショックです。

❶ 相談を受けた友人が周りに広めたとしたら、その行為（こうい）をどう考えますか。

❷ 「男性から性暴力被害（ひがい）を受けた男性は同性愛者だ」というウワサは、正確な情報でしょうか。

❸ 人間にとって、その人の性に関する情報はどういう意味をもっていると思いますか。

（名前　　　　　　　　　　　　　　　　）

© 水野哲夫 / 『授業で使える「生命（いのち）の安全教育」事例集　中学・高校編』（子どもの未来社）

# SOGIハラスメント② 考え合うポイント

## ● 性「セクシュアリティ」は、その人の存在に重大な関係をもつ

　自分が知りえた個人情報を、本人の了解なしに「噂話」などとして他人に知らせる行為は良くないことだと家庭や学校で教えられているにもかかわらず、絶えることはありません。そういう「噂話」が本人にとってはとても重大な内容を含んでいて、時には自死を決断する引き金になっていることを知る必要があります。

## ● 性は人権であるということ

　本人の性に関する情報（性被害体験、性自認や性的指向など）の暴露を噂話一般とは区別して「アウティング」と名づけ、重大視していることを知りましょう。

　性を人権にかかわることとして考えましょう。人間関係の基盤には人権の尊重と相手へのリスペクトがあるべきだということもしっかり押さえましょう。

## 発展的学習のヒント

● 2017年頃から、SOGI（ソジ。Sexual Orientation. Gender Identity の頭文字。性的指向と性自認をさす）に関連する差別、いじめ、いやがらせ、ハラスメントを指す「SOGIハラ」という言葉が提唱されました。この「SOGIハラ」には誰かのSOGIについて本人の許可なく公表すること（アウティング）も含まれています。

● 2015年4月に一橋大学法科大学院において、同性愛に関する悩みを告白した相手による暴露（アウティング）をきっかけとして院生が投身自殺しました。翌2016年に死亡した学生の遺族が、相手側の学生と一橋大学の責任を追及して損害賠償を求める民事訴訟を起こしました。→「一橋大学アウティング事件」

　2018年6月に、同年1月15日付で遺族と相手側の学制との間で和解が成立したことが公にされました。具体的な内容は、口外禁止条項により明らかにされてはいません。一橋大学との裁判は継続となっていましたが、2019年2月27日、東京地裁（鈴木正紀裁判長）は遺族側の訴えを棄却しました。判決は、院生の転落死は予見できず、大学側の対応が安全配慮義務に違反するものとは言えないとの見解を示しました。遺族側は控訴しました。2020年11月25日、東京高裁（村上正敏裁判長）は、一審の東京地裁に続き遺族側の請求を棄却しました。しかし、判決理由では、アウティングについて「人格権ないしプライバシー権などを著しく侵害するものであり、許されない行為であることは明らか」と言及しました。アウティングの違法性に言及した日本初の判決と見られています。

## 性の多様性を考えるということ――LGBTQ教育から性の多様性教育へ

　「性の多様性を考える」という学びが、実際には「LGBTQ学習」であるというケースがよく見られます。たとえば「多様性を考えよう」と題したある授業教材を見てみます。

　次のような展開です。
- 男女二人のイラストを掲げ、「この人の恋愛対象は？」「この人の性は？」と問う。
- 「自分の性別を考えよう」として、「あなたの『性別』は？」と問う。
- 「性の4つの要素」として、「からだの性」「こころの性」「性的指向」「性別表現」を示す。
- 「LGBTQとは？」として説明を示す。
- 「セクシュアルマイノリティとは？」として解説を示す。
- 「もしカミングアウトされたらどう接する？」などの問い。
- 「性は多様」。だから「差別しない」「違いを否定しない」など、いくつかの心構えや注意すべき点を示す。

　この授業の問題点は何でしょうか。最も大きな問題点は、この学習のテーマが「多様性を考えよう」というものであるにもかかわらず、この教材で解説されているのがセクシュアルマイノリティだけだということです。

　シスジェンダー（出生時に割り当てられた性別と性自認が一致する人）で異性愛の人は人口の中で多数を占めていますが、この人々は一覧表にも登場しませんし、言及されることもありません。これは、この人々が「普通（フツー）」とされていること、そしてあらためて説明される必要はないという「特権」を持っていることを示していると言えます。この授業は（制作者の意図は違うでしょうが）、「フツーの人たち」が「フツーでない人たち」を「理解してあげよう」という構造になっていると言わなければなりません。

　つまり、「みんなの多様性」について学んでいるつもりが、「フツーの人たち」が「フツーでない人たち」を「理解してあげよう」という構造になってしまっているのです。

　このような授業はまだまだあちこちで行われています。表にも出てこない、シスジェンダーで異性愛の人たちが、実は「フツー」という名前で特権をもっているという構造をもう一回確認し、この構造を崩すために、きちんと「シスジェンダー」、「異性愛」という言葉も使って、広くすべての人の多様性を考えていくことが重要です。

### LGBT教育
- 説明の対象となるのはいつもマイノリティ。LGBTQI＋などの言葉が解説される。
- マジョリティは説明されない。「シスジェンダー」や「異性愛」「SOGIE」という言葉も紹介されない。
- そうすることでマジョリティは「フツー」となり、まるで特権的な存在のようになる。
- マイノリティのことを知って理解してあげよう、という構造が再生産される。
- マイノリティ当事者はその場にいづらい。

### 性の多様性教育
- SOGIE（性的指向・性自認・性表現）といった性を捉える概念を用いて、すべての人の性のあり方を考える。
- マイノリティもマジョリティもすべての人について適切な用語を使って解説する。
- すべての人が説明対象となる。
- 「私たちすべて」の多様性を考える。
- それはつまり、それぞれの人が自分を問うことでもある。

## 考えてみよう 世界の法律

**世界では法律の見直しが進み、同意のない性行為をすること自体を罪として処罰する国が増えています。**

　日本と同様に、多くの国で「暴行・脅迫」の存在が性暴力・性犯罪として認定されるための要件とされてきました。しかし、近年見直しが進み、同意のない性行為をすること自体を罪として処罰する国が増えています。

　たとえば、スウェーデン、イギリス、カナダ、ドイツ、米国の一部の州（ニューヨーク州など）では、すでに同意なき性行為を犯罪とする法制度が実現しています。これは"No Means No"（No は拒絶を意味する）という考え方に立脚したものです。

　2018年に法改正をしたばかりのスウェーデンの法制は、"No Means No"からさらに進んで、"Yes Means Yes"（Yes が同意を意味する）の考え方に立脚しています。スウェーデンは、相手が「イエス」と言っている場合（＝相手が自発的に参加している場合）でないかぎり、性行為を行うことはレイプであると規定しているのです。

❶ 世界の性暴力に関する法律の規定の「３つの考え方」を整理してみましょう。

（名前 _____ ）

# 考えてみよう 世界の法律　考え合うポイント

- 1「抗拒不能の暴行・脅迫の存在」（日本の刑法の条件）、2「ノーはノーを意味する」、 3「イエスはイエスを意味する」の比較

　「抗拒不能の暴行・脅迫の存在」という日本の刑法にある条件を、具体的なケースに即して理解することが大切です。実際にその条件を満たすためにはどのような難しさが考えられるでしょうか。

　その上で「ノーはノーを意味する」、「イエスはイエスを意味する」の意味を考えて、比較してみましょう。

　相手が「イエス」と言っている場合（＝相手が自発的に参加している場合）でない限り、性行為を行うことはレイプであるという規定をどう思いますか。

## 発展的学習のヒント

- 日本の現在の刑法では、意に反する性交等をむりやりされても、それだけでは性犯罪とはなりません。性犯罪が成立するためには、意に反する性交等であるだけでは足りず、暴行・脅迫・抗拒不能などのさらに厳しい要件を満たす必要があるのです。そのため、多くの性暴力被害事件で被害者が泣き寝入りを余儀なくされているという実態があります。
- 諸外国ではこのことを問題と考え、暴行・脅迫という要件を撤廃し、「不同意性交等罪」（基本的に、不同意＋性交で性犯罪が成立）を導入しています。

---

**刑法第176条**

　13歳以上の者に対し、<u>暴行又は脅迫を用いて</u>わいせつな行為をした者は、6月以上10年以下の懲役に処する。13歳未満の者に対し、わいせつな行為をした者も、同様とする。

**第177条**

　13歳以上の者に対し、<u>暴行又は脅迫を用いて</u>性交、肛門性交又は口腔性交（以下「性交等」という。）をした者は、強制性交等の罪とし、5年以上の有期懲役に処する。13歳未満の者に対し、性交等をした者も、同様とする。

（下線筆者）

---

　177条の条文中にある「暴行又は脅迫を用いて」が「暴行脅迫要件」と言われているものです。

　刑法第178条（準強制わいせつ及び準強制性交等）には次のように書かれています。

1．「人の心神喪失若しくは<u>抗拒不能</u>に乗じ、又は心神を喪失させ、若しくは<u>抗拒不能</u>にさせて、わいせつな行為をした者は、第176条の例による。

2．人の心神喪失若しくは<u>抗拒不能</u>に乗じ、又は心神を喪失させ、若しくは<u>抗拒不能</u>にさせて、性交等をした者は、前条の例による。」

　条文中の「抗拒不能」とは、身体的、心理的に抵抗することが著しく困難な状態を示す法律用語です。

　「抗拒不能」は準強制性交等罪が成立する要件の一つなのです。

---

**スウェーデン**

**刑法第6章第1条　レイプ**

自発的に参加していない者と性交をし、または侵害の重大性にかんがみ、性交と同等と認められる性的行為を行った者は、レイプ罪として2年以上6年以下の拘禁刑に処する。相手方が自発的に性的行為に参加しているか否かの認定にあたっては、言語、行動その他の方法によって、自発的関与が表現されたか否かに特別の考慮が払われなければならない。

伊藤和子『なぜ、それが無罪なのか!?』（ディスカヴァー携書）より

---

　スウェーデンの刑法第6章第1条は、相手が「イエス」と言っている場合（＝相手が自発的に参加している場合）でない限り、性行為を行うことは、レイプであると規定しています。

## 考えてみよう　性交同意年齢

### 性行為をするかどうか、何歳になれば自分で判断できると思いますか？

　性行為への同意を自分で判断できるとみなす年齢を「性交同意年齢」と言います。

　日本では「13歳」と定められています。13歳未満の人がレイプされた場合、その事実さえ立証できれば相手を性犯罪に問うことが可能です。また、13歳未満の人との性交は、仮に本人が同意していても違法となります。

　しかし、イギリスの性交同意年齢は16歳未満、フランスは15歳未満、韓国は16歳未満、アメリカミシガン州は16歳未満、ニューヨーク州は17歳未満で、日本より高い年齢に定められています。

❶ 「性交同意年齢」とは何か、説明できるでしょうか。

❷ いくつかの国の性交同意年齢を調べてみましょう。

❸ 比較して気づいたこと、疑問に思うことなどはありませんか。

(名前 _____ )

© 水野哲夫 /『授業で使える「生命（いのち）の安全教育」事例集　中学・高校編』(子どもの未来社)

# 考えてみよう 性交同意年齢　考え合うポイント

## ● 各国の学制（学校制度）と性交同意年齢の関係は？

いくつかの国の性交同意年齢と学制の関係を示します。

| 国名 | 性交同意年齢 | 義務教育終了年齢 |
|---|---|---|
| 日本 | 13 歳 | 15 歳 |
| 韓国 | 16 歳 | 15 歳 |
| フランス | 15 歳 | 15 歳 |
| アメリカ | 16 〜 18 歳 | 18 歳 |
| カナダ | 16 歳 | 15 歳 |
| イギリス | 16 歳 | 16 歳 |
| フィンランド | 16 歳 | 18 歳 |
| スウェーデン | 15 歳 | 16 歳 |

## 発展的学習のヒント

● 日本の「性交同意年齢 13 歳」は 1907 年の刑法以来変わっていません。13 歳は中学校在学中の年齢です。現在の教育の実態などから考えて 13 歳というのは適切な規定なのでしょうか。法制審議会でも年齢の引き上げが議論されています。

● 諸外国は性交同意年齢を引き上げる傾向にあります。韓国は 2021 年に 13 歳から 16 歳に引き上げました。

1880 年の刑法では、性交同意年齢は「12 歳」となっていました。明治政府の法律顧問だったフランス人のギュスターヴは、刑法草案会議で「日本では満 12 歳になると結婚することのできる人はかなりいるか」と質問したのに対し、法制官僚の鶴田皓が、「なきにしもあらず」と答えています。

1886 年の刑法改正（12 歳から 13 歳への改正）論議では、ある委員（穂積陳重）が「日本の女子の月経開始（初潮）を調べたところ、平均 13 歳何ヶ月とのことなので 13 歳とするのには根拠があり（13 歳とすることに）賛成（大意）」と発言しています。

こうした論議を経て、1907 年の刑法改正では性交同意年齢は 13 歳となりました。「13 歳」の根拠らしきものは、このような身体の性的発達しか発見できていないのが現状です。

## 教育の基本の「き」——人権と境界・尊重・対話と同意

● 人は一人ひとり違います。同じ人間は決して存在しません。一人ひとりが誰とも交換できない、唯一無二の存在です。そして誰もが人権をもった存在です。人権とは「人間が人間らしく生きていくために欠かすことのできない、誰もが生まれた時からもっている権利のすべて」です。

● 世界中のどんな人も、からだの「境界」をもっています。境界はからだ全体の周りをぐるりと取り囲んでいます。目には見えない「バリア」のようなものです。その内側がプライベートな領域「パーソナルスペース」です。人によって境界の「大きさ」は違い、何をもって境界を越えたと感じるかは一人ひとり違います。

● 自分のからだのどこに、誰が、どうやって、ふれていいのか、いけないのか。これを決められるのは、そのからだの主人公—自分だけです。誰もがそれを決める権利をもっています。

● 性的関係も含みますが、相手といっしょに何かを為そうとするなら、同意が必要です。同意とは、言葉を使った対話で、「〜してもいい？」「いいよ」と確認しあう行為です。そこに不平等な力関係があったり、判断できない状況があったりするときは同意とは言えません。「対話なくして同意なし」です。同意は、いつでも変更したり取り消したりすることができます。

● 誰もが人権をもった存在であるということを改めて思い起こし、心に刻む時、かかわる相手を尊重する意識が（程度の差はあれ）生まれてきます。相手を尊重するところから、意思を通じ合う対話が生まれます。「尊重なくして対話なし」です。

　日本の学校教育では、「協調性」という名のもとに、「周りに合わせる」「出すぎない」ことが求められる傾向があります。学校においては対話なしに「同意」が求められることが多いと言ってもいいでしょう。それに慣れて、生徒が自分の意見を言うこと、特に自分の意志で拒否することに対して抵抗感をもつ教員も少なくありません。

　これは、すべての人に意見を表明する権利があるということへの理解が不充分であるということを示しています。このままで、「性暴力・性被害に対しては『ノーと言おう』『いやだと言おう』」と生徒に求めても、説得力のないものになってしまわないでしょうか。

　「人権と境界・尊重・対話と同意」を、「生命（いのち）の安全教育」に限らず、日常のすべての教育活動の基本的な視点とする時、自分の教育活動は大きく変わるでしょう。そして、新たな生徒との関係がひらけてくるのではないでしょうか。

## 紛争・戦争と性暴力

### ●戦時性暴力──容認から戦争犯罪に

　古くから、戦争等における性暴力は、勝者・支配者への「褒美」として、敗者への懲罰として、相手の民族や国家・社会を辱めるものとして、あるいは勝者・支配者の支配欲求を満足させるものとして許容されてきました。また、それらの性暴力は、国家や軍組織の問題ではなく、兵士たち個人の行為であると認識されてきました。

　戦時の性暴力を禁止する動きは、1907年の「ハーグ陸戦条約」の中に反映はしましたが、この条約では、性暴力禁止を明示してはいませんでした。

　しかし、その後、世界は次第に戦時性暴力を犯罪行為として禁止・処罰する方向に進んでいます。

　1993年、旧ユーゴスラビア国際刑事裁判所は、強姦を「人道に対する罪」として処罰対象とする考えを示しました。

　2003年、国際刑事裁判所（ICC）がオランダのハーグに設置され、2016年には性暴力を理由として、初めて有罪判決を下しました。

### ●連続体としての戦時性暴力

　紛争・戦争における性暴力はレイプだけではありません。イギリスの社会学者リズ・ケリーは「性暴力連続体」という概念を提起し、次のように述べています。「女性の異性愛間性行為の経験は合意かレイプかではなく、圧力による選択から力による強制までの連続体上に存在する」（『ジェンダーと暴力　イギリスにおける社会学的研究』：明石書店　ジャルナ・ハマー、メアリー・メイナード編／堤　かなめ　監訳）

　社会学者の上野千鶴子はこれを援用し、戦時性暴力における連続性と断絶について次のように述べています。「性暴力は戦争にともなう物理的・構造的暴力の一部をなしており、強姦から売買春、恋愛まで、さらには妊娠、中絶、出産から結婚までの多様性を含んでいる。性暴力を強姦から売買春、恋愛、結婚、までの連続線上に配置するのは、事実このあいだに連続性があって、境界を引くことが難しいからである」（「戦争と性暴力の比較史の視座」：上野千鶴子・蘭　信三・平井和子編『戦争と性暴力の比較史へ向けて』岩波書店）。

　民衆と軍隊などの軍事組織（敵味方を問わない）との間には、圧倒的な「力の不均衡」が存在します。そして、そのような力の不均衡を背景とした戦時性暴力が、レイプだけではなく、見かけ上は「自由意志」であるかのような性買売や交際・結婚も含むことは、数多くの研究が明らかにしています（上野前掲書）。

　2018年、ノルウェー・ノーベル賞委員会は、コンゴ民主共和国のデニ・ムクウェゲ医師と、イラクの少数派ヤジディー教徒の権利擁護を訴えてきた活動家のナディア・ムラド氏にノーベル平和賞を授与すると発表しました。両氏が「戦争の武器として用いられる性暴力の撲滅を目指す取り組みを続けてきた」ことを高く評価するとしています。

　性暴力を人道に対する罪であり戦争犯罪でもあるとする認識は、これから国際的にいっそう強まっていくでしょう。

# 被害にあったら──相談先など

　あなたやあなたの大切な人が被害にあっていたら、支援やサポートを受けることは当然の権利です。

▼レイプにあったので、すぐに対応してほしい
【警察】110 番（24 時間 365 日）
【性犯罪被害相談電話】#8103（24 時間 365 日）
　　https://www.npa.go.jp/higaisya/seihanzai/seihanzai.html
＊都道府県の警察が運営する、性犯罪被害専門相談窓口を案内してくれます
【性犯罪・性暴力被害者のためのワンストップ支援センター】# 8891
　　http://www.gender.go.jp/policy/no_violence/avjk/pdf/one_stop.pdf
＊性暴力にあった時、必要なケアを受けることができます

▼親やきょうだい、親せき等に触られたり、セックスされていることを相談したい
【児童相談所全国共通ダイヤル】189（24 時間 365 日）
　　http://www.mhlw.go.jp/bunya/koyoukintou/gyakutai/
＊親やきょうだい、親せき等からの暴力を相談できます

▼恋人に嫌なことをされたり、ストーカーされて困っている
【女性の人権ホットライン】0570-070-810（平日 8:30-17:15）
　　http://www.moj.go.jp/JINKEN/jinken108.html
＊デート DV やストーカーについて相談できます
【DV 相談ナビ】（女性以外も相談できます）#8008
　　http://www.gender.go.jp/policy/no_violence/dv_navi/
＊都道府県のデート DV の相談窓口を案内してくれます

▼性的な写真・動画を削除して欲しい
【一般社団法人セーファーインターネット協会】
　　https://www.safe-line.jp/against-rvp/
＊リベンジポルノ画像や動画の削除を依頼できます

▼以前レイプされたり、痴漢にあったことを、警察や法律に詳しい人に相談したい
【被害者ホットライン】
　　http://www.moj.go.jp/keiji1/keiji_keiji11-9.html
＊性犯罪にあった後のこころの悩みを警察に相談できます
【警察相談専用電話】#9110（24 時間 365 日、一部時間帯は音声案内）
　　https://www.gov-online.go.jp/useful/article/201309/3.html
＊ストーカー、デート DV 等の悩みごとや困りごとを警察に相談できます

【法テラス】0570-078374（平日 9:00-21:00/ 土 9:00-17:00）
　　http://www.houterasu.or.jp/higaishashien/higai_naiyou/sei_higai/
　＊性犯罪にあった後のことを弁護士に相談できます
【子どもの人権 110 番】0120-007-110（平日 8:30-17:15）
　　http://www.moj.go.jp/JINKEN/jinken112.html
　＊いじめや親等からの暴力を相談できます


▼誰かに話を聞いてほしい
【チャイルドライン】0120-99-7777（毎日 16:00-21:00）
　　http://www.childline.or.jp/　※日時限定でチャット相談もできます
　＊18 歳までの子どものための相談先です
【よりそいホットライン】0120-279-338
岩手県・宮城県・福島県は 0120-279-226（24 時間 365 日）
　　http://www.since2011.net
　＊DV・性暴力被害者等への多角的な支援事業を行っています


▼友だちが被害にあっていることを相談したい
【匿名通報ダイヤル】0120-924-839（平日 9:30-18:15）
　　https://www.tokumei24.jp/
　＊子どもや女性を被害者とする犯罪や、人身売買に関する情報を匿名で受け付けています


▼ 10 代 20 代の生きづらさを抱える女の子のための女性による支援
【特定非営利活動法人　bond プロジェクト】
　　電話相談　080-9501-5220（月・土 18：00〜21：00）
　　　　　　　070-6648-8318（水・日 14：00〜19：00）
　　メール　hear@bondproject.jp
　＊ LINE ID@bondproject（詳しくは HP で。https://bondproject.jp/）


## 参考になる本、知識の入手先など

● 『3 万人の大学生が学んだ　恋愛で一番大切な " 性 " のはなし』
村瀬幸浩、KADOKAWA
● NPO 法人「ピルコン」のサイトで「性的同意」の基礎知識が学べます
https://pilcon.org/help-line/consent
●慶應の学生の作ったハンドブックがダウンロードできます
Sexual consent handbook for Keio students
性的同意ハンドブック 慶應
https://site-1988780-8082-8248.mystrikingly.com/

# ●おわりに●

　「生命（いのち）の安全教育」が「性暴力にかかわる安全（確保）教育」である以上、授業者が人間の性というものをどう捉えているかは極めて大切な問題です。

　『季刊セクシュアリティ』105号の拙稿でも触れたのですが、文科省が人間の性というものをどう捉えているかは、「指導の手引き」や文科省の他の文書でも明らかにされていません。文科省は明らかにしないように注意深くふるまっていると判断できます。

　にもかかわらず、「学校における性に関する指導及び関連する取組の状況について」という文書（2022年3月10日付）には、「性に関する指導」（普通『性教育』と言われているもの）は以下の二つを目的に実施されていると述べられています（大要）。

1. 児童生徒が性に関して正しく理解する
2. 児童生徒が適切に行動を取れるようにする

　文科省自身の性の捉え方が何も明らかにされていないとき、「正しく理解」「適切に行動」という目的の中身はどうなるのでしょうか。どうなったら目的が達成されたことになるのでしょうか。それは誰にも判断することができません。

　性に対する捉え方を明示することはない文科省ですが、どんなトピックを取り上げているかということから、性に対する捉え方を判断することができます。

　文科省が取り上げているトピックは主として、性感染症、予期せぬ妊娠、人工妊娠中絶、性被害など社会問題となっていることがらです。性、特に若者の性は、「指導を要する問題行動」という角度から光が当てられていると言えます。こうした土壌の上に「生命（いのち）の安全教育」が実施されるなら、生徒たちはいっそう性をネガティブなものとして捉えてしまうのではないかという懸念があります。

　性を問題行動と見るような捉え方は、国際的な視点で見ると異質です。「性の権利宣言」（pp.70-71）という国際的な文書には、次のような記述があります。

- ●「セクシュアリティは、喜びとウェルビーイング（良好な状態・幸福・安寧・福祉）の源であり、全体的な充足感と満足感に寄与するものである」
- ●「性の権利は、すべての人々が他者の権利を尊重しつつ、自らのセクシュアリティを充足し、表現し、性の健康を楽しむことを保護するものである」
- ●「性の権利はセクシュアリティ（性）に関する人権である」

　また、ユネスコなどによる「改訂版国際セクシュアリティ教育ガイダンス」（p.25）には、性は権利であり、人権と分かちがたいものであり、同意と合意のある性的関係は「健康でよろこびのある」ポジティブなものであるという指摘があります。

　これらに学び、私たち自身の性の捉え方をより豊かにしていくことが大切なのではないでしょうか。

## 水野哲夫（みずの・てつお）

1953（昭和28）年、長野県生まれ。慶応義塾大学文学部国文学科卒業。1978（昭和53）年、東京都世田谷区にある私立大東学園高校に国語教諭として就職。1997年から総合科目「性と生」も担当。現在、白梅学園大学、一橋大学、大東学園高校でセクソロジー関連科目を担当。一般社団法人"人間と性"教育研究協議会代表幹事。『季刊セクシュアリティ』誌編集長。主な著書に、『改訂新版ヒューマン・セクソロジー』（共著,子どもの未来社 2020年）、絵本「人間と性の絵本」第3巻『思春期ってどんなとき?』（大月書店 2021年）、『考えたことある?性的同意 知らないってダメかも』（監修・解説,子どもの未来社 2021年）、「Yahoo!きっず」提供のインターネットコンテンツ「ココロとカラダのことを学べるココカラ学園」（共著,執筆・監修 2022年）、『性の学びが未来を拓く—大東学園高校・総合「性と生」の26年—』（エイデル研究所 2023年）など。

## 挿絵 / いしい つとむ（石井 勉）

1962年、千葉県生まれ。主な絵本に『かぶとむしのなつ』『ふねのとしょかん』『オタマジャクシつかまえた!』文研出版、『おひさまえんのさくらのき』（文・あまんきみこ）『ようかいびより』（堀切リエ文）以上あかね書房、『おばけバッタ』（最上一平文）ポプラ社、『ばあばは、だいじょうぶ』（楠章子文）童心社、『日本の伝説 きんたろう』（堀切リエ文）子どもの未来社、『絵本 日本女性史』（全4巻 野村育代他文）大月書店など多数。

装丁 根本眞一（クリエイティブ・コンセプト）
本文デザイン 松田志津子
編集 堀切リエ

## 授業で使える「生命（いのち）の安全教育」事例集 中学・高校編
### 人権とからだの権利・自己決定と同意・性の多様性を学ぶきっかけに

2023年3月19日 第1刷印刷
2023年3月19日 第1刷発行

著 者 水野哲夫
発行者 奥川 隆
発行所 子どもの未来社
　　　　〒101-0052 東京都千代田区神田小川町 3-28-7-602
　　　　TEL 03-3830-0027 FAX 03-3830-0028
　　　　Email：co-mirai@f8.dion.ne.jp
　　　　http://comirai.shop12.makeshop.jp/
振 替 00150-1-553485
印刷・製本 シナノ印刷株式会社